WEIPPERT/SEYBOLD/WEIPPERT

BEITRÄGE ZUR PROPHETISCHEN BILDSPRACHE IN ISRAEL UND ASSYRIEN

ORBIS BIBLICUS ET ORIENTALIS

Im Auftrag des Biblischen Instituts der Universität
Freiburg Schweiz
des Seminars für biblische Zeitgeschichte
der Universität Münster i. W.
und der Schweizerischen Gesellschaft
für orientalische Altertumswissenschaft
herausgegeben von
Othmar Keel
unter Mitarbeit von Erich Zenger und Albert de Pury

Zu den Autoren:

Helga Weippert (1943) studierte in Basel, Göttingen und Tübingen und promovierte 1971 an der Universität Basel über «Die Prosareden des Jeremiabuches» (BZAW 132; 1973). Sie verfaßte exegetische Aufsätze, zahlreiche Artikel für das von Kurt Galling herausgegebene «Biblische Reallexikon» (HAT I 1; 1977[2]) und die Studie «Schöpfer des Himmels und der Erde: Ein Beitrag zur Theologie des Jeremiabuches» (SBS 102; 1981). Sie unterrichtet(e) an den Theologischen Fakultäten der Universitäten Utrecht (1979–81) und Heidelberg (seit 1983) in den Fächern Altes Testament und Biblische Archäologie.

Klaus Seybold (1936) studierte evangelische Theologie in Tübingen und Heidelberg. Er wurde 1968 von der Theologischen Fakultät der Universität Kiel mit der Arbeit: Das davidische Königtum im Zeugnis der Propheten (FRLANT 107; 1972) zum Dr. theol. promoviert und habilitierte sich 1972 dort mit der Arbeit: Das Gebet des Kranken: Untersuchungen zur Bestimmung und Zuordnung der Krankheits- und Heilungspsalmen (BWANT 99; 1973). Er verfasste verschiedene philologische und theologische Beiträge für wissenschaftliche Zeitschriften und Wörterbücher, vor allem aus dem Gebiet der Psalmen- und Prophetenforschung. Von seinen Publikationen sind zu nennen: Bilder zum Tempelbau: Die Visionen des Propheten Sacharja (SBS 70; 1974); Der aaronitische Segen (1977); Krankheit und Heilung (1978); Die Wallfahrtspsalmen: Studien zur Entstehungsgeschichte von Ps 120–134 (BThSt 3; 1978). Seit 172 war er Privatdozent, ausserplanmässiger Professor und Lektor für Hebräische Sprache an der Universität Kiel und lehrt seit 1979 als ordentlicher Professor für Altes Testament an der Theologischen Fakultät der Universität Basel.

Manfred Weippert (1937) studierte Theologie, Archäologie und Orientalistik in Neuendettelsau, Göttingen und Tübingen. 1965 erwarb er den theologischen Magistergrad der Universität Göttingen mit «Die Landnahme der israelitischen Stämme in der neueren wissenschaftlichen Diskussion» (FRLANT 92; 1967; englisch 1971) und promovierte 1971 an der Universität Tübingen über «Edom: Studien und Materialien zur Geschichte der Edomiter auf Grund schriftlicher und archäologischer Quellen». Er veröffentlichte zahlreiche Artikel zu exegetischen, historischen, archäologischen und philologischen Themen in Zeitschriften und Sammelwerken. 1971–76 war er Privatdozent für Altes Testament an der Universität Tübingen, 1976–83 Professor für Semitische Sprachen an der Universität Utrecht; seit 1983 ist er Professor für alttestamentliche Theologie an der Universität Heidelberg.

ORBIS BIBLICUS ET ORIENTALIS 64

HELGA WEIPPERT
KLAUS SEYBOLD/MANFRED WEIPPERT

BEITRÄGE ZUR PROPHETISCHEN BILDSPRACHE IN ISRAEL UND ASSYRIEN

UNIVERSITÄTSVERLAG FREIBURG SCHWEIZ
VANDENHOECK & RUPRECHT GÖTTINGEN
1985

CIP-Kurztitelaufnahme der Deutschen Bibliothek

Weippert, Helga; Seybold, Klaus; Weippert, Manfred:

Beiträge zur prophetischen Bildsprache in Israel und Assyrien/Helga Weippert; Klaus Seybold; Manfred Weippert.
Freiburg (Schweiz): Universitätsverlag
Göttingen: Vandenhoeck und Ruprecht, 1985.

(Orbis biblicus et orientalis; 64)
ISBN 3-7278-0329-0 (Universitätsverlag)
ISBN 3-525-53687-9 (Vandenhoeck und Ruprecht)
NE: Weippert, Helga (Mitverf.); Seybold, Klaus (Mitverf.); Weippert, Manfred (Mitverf.); GT

Veröffentlicht mit Unterstützung
der Schweizerischen Geisteswissenschaftlichen Gesellschaft

Paulusdruckerei Freiburg Schweiz
ISBN 3-7278-0329-0

INHALTSVERZEICHNIS

VORWORT

Die vorliegenden Studien sind als Beiträge für das Symposion "Altorientalische Ikonographie und Altes Testament" entstanden, zu dem die Schweizerische Gesellschaft für Orientalische Altertumswissenschaft und das Biblische Institut der Universität Fribourg vom 12. bis 14. Juni 1984 nach Fribourg eingeladen hatten. Sie haben ihre Besonderheit darin, daß sie sich mit verschiedenen Aspekten der prophetischen Bildsprache beschäftigen. Diese Gemeinsamkeit gab Anlaß, an eine gesonderte Veröffentlichung zu denken. Das Vorhaben wurde von Herrn Kollegen Othmar Keel, dem Initiator und Leiter des Symposions, begrüßt. Wir sind ihm sehr dankbar dafür, daß er bereit war, die Beiträge in die Reihe *Orbis Biblicus et Orientalis* aufzunehmen.

Hinweisen möchten wir auf das Buch von C.Westermann, Vergleiche und Gleichnisse im Alten und Neuen Testament. Calwer Theologische Monographien A 14; Stuttgart 1984, das während der Herstellung der Druckvorlagen erschien und deshalb leider nicht mehr berücksichtigt werden konnte.

Heidelberg und Basel
November 1984

Helga Weippert
Klaus Seybold
Manfred Weippert

ABKÜRZUNGSVERZEICHNIS

AASOR	Annual of the American Schools of Oriental Research
AB	Assyriologische Bibliothek
ADPV	Abhandlungen des Deutschen Palästina-Vereins
AfO	Archiv für Orientforschung
AfOB	Archiv für Orientforschung, Beihefte
AHw	SODEN, W. von, Akkadisches Handwörterbuch. Wiesbaden. I 1965. II 1972. III 1981.
AnOr	Analecta Orientalia
AOAT	Alter Orient und Altes Testament
AThANT	Abhandlungen zur Theologie des Alten und Neuen Testaments
AOTU	Altorientalische Texte und Untersuchungen
BAHB	Institut Français d'Archéologie Orientale à Beyrouth, Bibliothèque Archéologique et Historique
BASOR	Bulletin of the American Schools of Oriental Research
BeO	Bibbia e Oriente
BEThL	Bibliotheca Ephemeridum Theologicarum Lovaniensium
BK	Biblischer Kommentar
BN	Biblische Notizen
BRL^2	GALLING, K., ed., Biblisches Reallexikon. HAT I 1; Tübingen 1977^2.
BZ	Biblische Zeitschrift
CBQ	Catholic Biblical Quarterly
CRRAI	Comptes rendus de la ...ème Rencontre Assyriologique Internationale
DMOA	Documenta et Monumenta Orientis Antiqui
ET	Expository Times
FRLANT	Forschungen zur Religion und Literatur des Alten und Neuen Testaments
HAT	Handbuch zum Alten Testament
HThR	Harvard Theological Review
JARG	Jahrbuch für Anthropologie und Religionsgeschichte
JBL	Journal of Biblical Literature
JCS	Journal of Cuneiform Studies
JNES	Journal of Near Eastern Studies
JPOS	Journal of the Palestine Oriental Society
JRAS	Journal of the Royal Asiatic Society
JSOT	Journal for the Study of the Old Testament
JSS	Journal of Semitic Studies
K	Kouyunjik: Tafelsignatur des Britischen Museums
KAT	Kommentar zum Alten Testament
KHC	Kurzer Hand-Kommentar zum Alten Testament
MRS	Mission de Ras Shamra

MVAeG	Mitteilungen der Vorderasiatisch-Ägyptischen Gesellschaft
NThT	Nederlands Theologisch Tijdschrift
OA	Oriens Antiquus
OAC	Orientis Antiqui Collectio
OBO	Orbis Biblicus et Orientalis
OECT	Oxford Editions of Cuneiform Texts
OIP	Oriental Institute Publications
OTWSA	Die Ou Testamentiese Werkgemeenskap in Suid-Afrika
RB	Revue Biblique
SANE	Sources from the Ancient Near East
SBS	Stuttgarter Bibel-Studien
SS	Studi Semitici
StOr	Studia Orientalia
TAVOB	Tübinger Atlas des Vorderen Orients, Beihefte
TCL	Musée du Louvre, Textes Cunéiformes
ThStKr	Theologische Studien und Kritiken
ThWAT	BOTTERWECK, G.J.-RINGGREN, H., edd., Theologisches Wörterbuch zum Alten Testament. Stuttgart-Berlin-Köln-Mainz. II 1977. III 1982.
ThZ	Theologische Zeitschrift, Basel
UF	Ugarit-Forschungen
VAB	Vorderasiatische Bibliothek
VIO	Deutsche Akademie der Wissenschaften, Institut für Orientforschung, Veröffentlichungen
VT	Vetus Testamentum
WMANT	Wissenschaftliche Monographien zum Alten und Neuen Testament
WO	Die Welt des Orients
WuD	Wort und Dienst
ZA	Zeitschrift für Assyriologie
ZAW	Zeitschrift für die alttestamentliche Wissenschaft
ZDMGS	Zeitschrift der Deutschen Morgenländischen Gesellschaft, Supplementa
ZDPV	Zeitschrift des Deutschen Palästina-Vereins

Amos
Seine Bilder und ihr Milieu*

Oft ist Sprache verräterisch. Vielleicht ist es kein Zufall, daß in der neueren alttestamentlichen Sekundärliteratur für das prophetische Schauen auch der Ausdruck "zweites Gesicht" begegnet[1]. Stillschweigend wird visionäres Sehen damit in eine Beziehung zu dem gesetzt, was man dann konsequenterweise eigentlich "erstes Gesicht" nennen müßte. Mit diesem künstlich gebildeten Analogon meine ich die optischen Eindrücke, die wir alltäglich im Wachzustand mit unseren Augen wahrnehmen oder auch nicht mehr wahrnehmen, weil sie uns als das Gewohnte allzu vertraut, zu selbstverständlich geworden sind, weil sie sich für uns zum optischen Milieu verdichtet haben. Wenn die zunächst nur hypothetisch dem Sprachgebrauch abgelauschte Relation zwischen "erstem" und "zweitem" Gesicht sich an Texten des Amosbuches bestätigen ließe, in welchem Milieu müßten wir dann nach Illustrationsmaterial suchen, um die Bildwelt des Amos für unsere Augen wiedererstehen zu lassen? Damit ist eine Doppelfrage gestellt, auf die in zwei Schritten - einem längeren und einem kürzeren - nach Antworten gesucht werden soll[2].

* Nicht zugänglich war mir die Dissertation von D.OYDEN, A Geography of Amos (Ph. Diss., Utah 1982), die in ZAW 95 (1983), 137 angezeigt ist.

1 KOCH 1978: 5f.

2 WATTS 1958 geht bei seiner Auslegung des Amosbuches ebenfalls von der bäuerlichen Herkunft des Amos aus (*ibid.*: 5-9) und versucht, eine Relation zwischen Biographie und Visionen nachzuweisen (*ibid.*: 32-35). Ausschlaggebend für seine Interpretation sind letztendlich aber traditionsgeschichtliche Erwägungen, nicht das Milieu. Auf dieser Ebene verläuft auch die Argumentation bei WOLFF 1964 und STOEBE 1970; mit den formalen Denkstrukturen in der Verkündigung des Amos beschäftigt sich PFEIFER 1976 und 1981. Derartigen Fragen soll im folgenden ebensowenig nachgegangen werden wie der Frage nach der Art der Offenbarungsübermittlung, mit der sich zuletzt WOLFF 1984 beschäftigt hat. Ausschließlich der optische Erfahrungshorizont und die vom lokalen Milieu geprägte Sicht des Amos sollen, soweit sie in Texten des Amosbuches erkennbar sind, untersucht und für das Verständnis der Verkündigung des Amos genutzt werden.

I

Amos war Bauer. Die Buchüberschrift (1,1) stellt ihn als נֹקֵד aus Thekoa vor, der während der Regierungszeiten der Könige Asarja (/Ussia) von Juda (773/2-735/4 v.Chr.) und Jerobeam II. von Israel (787/6-747/6 v.Chr.) im Auftrag Jahwes Worte gegen Israel verkündigte. Die zusätzliche Angabe, daß dies zwei Jahre vor dem Erdbeben geschehen sei, und anderweitig überlieferte Informationen engen den Zeitansatz für das Auftreten des Amos in Israel auf die Jahre kurz vor 760 v.Chr. ein[3]. Mit Thekoa wird der kleine, etwa 18 km südlich von Jerusalem gelegene Ort gemeint sein, dessen Ruinen heute den Namen *Ḫirbet Teḳuᶜ* tragen. Nähert man sich dem Ort von Westen her, dann lernt man als erstes das fruchtbare Ackerland kennen, das sich westlich der *Ḫirbet Teḳuᶜ* erstreckt. Blickt man von der *Ḫirbet Teḳuᶜ* aus nach Norden, so dominiert als hervorragende Landmarke der *Ǧebel Frēdīs* das Bild. Im 8. Jahrhundert v.Chr. muß dieser Hügel noch anders ausgesehen haben; denn seine charakteristischen Konturen erhielt er erst, als Herodes I. (37-4 v.Chr.) auf ihm die Festung Herodeion errichten und von einer künstlichen Aufschüttung umgeben ließ. Wendet man sich auf der *Ḫirbet Teḳuᶜ* nach Osten, dann kommt die judäische Wüste ins Blickfeld und macht deutlich, wie nah das Acker- und Weideland von *Ḫirbet Teḳuᶜ* an Wüstengebiet angrenzt. Nur der schmale Steppenstreifen, der zwischen dem judäischen Bergland und der Wüste Juda verläuft, schiebt sich in diesem Bereich zwischen den fruchtbaren Ackerboden und die kahle Wüste[4]. Keramikfunde

3 Die Angabe "zwei Jahre vor dem Beben" in Am 1,1 bezieht sich vermutlich auf das Erdbeben, das in der ersten Hälfte des 8. Jh.s v.Chr. in Hazor (Stratum VI) und Samaria (Stratum IV) größere Schäden angerichtet hat. Richtungsweisend für die historische Einordnung der Verkündigung des Amos ist ferner der Umstand, daß Jotham wohl schon 757/56 v.Chr. die Regierungsführung übernahm, da sein Vater Asarja wegen einer schweren Erkrankung dazu nicht mehr fähig gewesen sein dürfte (2.Kön 15,5; vgl. 2. Chr 26,16-21). Da Jotham freilich in der Buchüberschrift Am 1,1 anders als in Hos 1,1 nicht genannt wird, ist anzunehmen, daß Amos noch vor Jothams Regierungsantritt im Jahr 757/56 v.Chr. in Israel aufgetreten ist. Da die Verkündigung des Amos aber die kriegerischen Erfolge Jerobeams II. vorauszusetzen scheint (Am 6,13; vgl. 2.Kön 14,25), darf man sein Auftreten in Israel nicht allzu weit von 757/56 v.Chr. abrücken. Vgl. zu den Datierungsfragen WOLFF 1969: 105f.155.

4 Die Unterscheidung zwischen "Steppe" und "Wüste" ist modern. Sie orientiert sich an den Niederschlagsmengen und am Pflanzenbewuchs; vgl. GRAD-

und Eingangsfassaden zu Felskammergräbern auf der *Ḫirbet Teḳu*^{c} lassen vermuten, daß sich während der Eisen II-Zeit hier eine Siedlung befand, die man aufgrund der bis heute andauernden Namenskontinuität mit dem in Am 1,1 genannten Thekoa identifizieren darf. Demgegenüber ist das "obergaliläische Thekoa" ein weniger passender Kandidat für den Heimatort des Amos. Die Besiedlungsgeschichte der dafür vorgeschlagenen *Ḫirbet Šam*^{c} (isr. *Ḥòrvat Šema*^{c}) reicht nicht in vorrömische Zeit zurück, und es fehlen auch vorchristliche Texte, die ein "obergaliläisches Thekoa" erwähnen[5]. Diese und andere Gründe raten davon ab, das Thekoa des Amosbuches in Obergaliläa zu suchen[6].

Angaben zur Person enthält außer der Buchüberschrift auch der Fremdbericht in Am 7,10-17. Hier sind sie Amos selbst in den Mund gelegt: Weder ein Prophet (נָבִיא) noch ein Prophetenjünger (בֶּן-נָבִיא) sei er, sondern ein בוֹקֵר und ein בּוֹלֵס שִׁקְמִים, den Jahwe direkt von der Herde weg (מֵאַחֲרֵי הַצֹּאן) berufen und nach Israel geschickt habe.

Damit verfügen wir über insgesamt vier Stichworte zum "bür-

MANN 1934: 168-170; ZOHARY 1982: 47.84-91 mit Karte 5. Im Alten Testament gilt als מִדְבָּר "Wüste" das Land, in dem weder Aussaat noch Ernte möglich sind (Jer 2,2), in dem es aber durchaus "Weidegebiete" gibt (Jer 9,9; 23,10; Joel 1,19.20; 2,22; Ps 65,13). Aussaat und Ernte sind in beschränktem Ausmaß im Übergangsgebiet zwischen Kulturland und Steppe möglich, und der in die Wüste übergehende Teil der Steppe eignet sich saisonal durchaus als Weideland. Das spricht dafür, daß nach alttestamentlicher Auffassung die Grenze zwischen Wüste und Kulturland in dem Bereich verlief, den wir heutzutage als Steppe definieren. Die alttestamentliche Grenzziehung zwischen Wüste und Kulturland erfolgte demnach nach rein praktischen Gesichtspunkten, indem sie zwischen landwirtschaftlich nutzbarem und nicht nutzbarem Boden unterschied.

5 Dazu MEYERS-KRAABEL-STRANGE 1976: 7-19 und MEYERS 1978.

6 Gegen KOCH 1978: 81f., kann man fragen, welches exegetische Problem im Amosbuch sich leichter lösen läßt, wenn man den Heimatort des Amos nach Obergaliläa verlegt. Die alte *crux interpretum*, wie Amos als Bürger des judäischen Thekoa den Beruf des "Sykomorenritzers" habe ausüben können (dazu s.u. 5), läßt sich mithilfe eines "obergaliläischen Thekoa" jedenfalls nicht beheben; denn gerade Obergaliläa gilt in der jüdischen Tradition - sicherlich zutreffend - als das Gebiet, in dem keine Sykomoren gedeihen; vgl. FELIKS 1981: 59, unter Berufung auf Tosephta Sheb. IX,9. Läßt man mit KOCH 1978: 80, Amos den "Vertreter einer großisraelitischen Idee" sein, der auf eine Restituierung des davidischen Großreichs hoffte (*ibid.*: 80f. zu Am 9,11f.), dann läßt sich dies aus der Sicht eines Judäers gut begreifen - besser als aus der Sicht eines Angehörigen des Nordreichs. Am 7,12 schließlich ist kein Hinderungsgrund für diese Annahme; der Vers fügt sich ihr ungezwungen ein.

gerlichen Beruf" des Amos[7]:

1. נֹקֵד "Schafzüchter": Als נֹקֵד wird außer Amos im Alten Testament nur noch der König Meša von Moab in 2.Kön 3,4 bezeichnet. An dieser Stelle soll נֹקֵד den gewaltigen Tribut an Wolle von 100 000 Lämmern und 100 000 Widdern erklären, die Meša alljährlich aufbringen und an Ahab von Israel entrichten konnte. Auch wenn die Zahlenangaben übertreibend nach oben aufgerundet sein sollten, darf man sie dennoch als Chiffren dafür nehmen, daß ein moabitischer König sein Leben nicht als kleiner Schafhirte fristete, sondern als begüterter "Schafzüchter", wie man נֹקֵד dementsprechend gewöhnlich übersetzt.
2. בּוֹקֵר "Rinderhalter, Rinderzüchter": Diese Berufsbezeichnung kommt nur in Am 7,14 vor; doch läßt sich das *hapax legomenon* unschwer als Denominativ von בָּקָר bestimmen und als Umschreibung für jemanden auffassen, der berufsmäßig mit Rindern zu tun hat[8].
3. בּוֹלֵס שִׁקְמִים "Sykomorenritzer": Auch diese Wortverbindung ist im Alten Testament singulär; doch schon von der LXX mit κνίζων συκάμινα zutreffend übersetzt. Aufgabe des "Sykomorenritzers" war es, die noch unreifen Früchte mit einem scharfen Instrument einzuritzen, damit ein Teil ihres herben Saftes abfließen und der in der Frucht verbleibende Saft rascher in Zuckergärung übergehen konnte. Dies beschleunigte die Reife der Frucht, die sonst in unreifem Zustand, also noch vor Erreichung der vollen Süße vom Baum abfiel[9].
4. מֵאַחֲרֵי הַצֹּאן "von der Kleinviehherde weg": Wenn Amos sich als ein "von der Kleinviehherde weg" Berufener ausgibt, dann kann er damit eine vorgeprägte Legitimationsformel aufgreifen, mit derAußenseiter auszudrücken pflegten, daß sie ein ihnen zugewiesenes Amt nicht angestrebt hätten, sondern daß man es ihnen überraschend angetragen habe[10]. In der Zusam-

7 Grundlegend ist dafür STOEBE 1957.
8 Eine analog gebildete Berufsbezeichnung stellt etwa das von כֶּרֶם "Weingarten, Weinberg" denominierte *כֹּרֵם "Winzer" dar, vgl. 2.Kön 25,12; Jes 61,5; Jer 52,16; Joel 1,11; 2.Chr 26,10.
9 Zur Sykomore, einer auch als Maulbeerfeigenbaum bezeichneten wilden Feigenart vgl. FELIKS 1981: 58-60; ZOHARY 1983: 68f.
10 So SCHULT 1971.

menschau mit den anderen Angaben zum Beruf des Amos kann man die Wendung hier aber auch wörtlich nehmen und als Hinweis auf die äußeren Umstände zum Zeitpunkt der Berufung auffassen. Da die eine Interpretation die andere nicht ausschließt, kann eine Entscheidung zwischen beiden hier auf sich beruhen.

Das allen vier Angaben Gemeinsame besteht darin, daß sie Amos Tätigkeiten zuschreiben, die sich der umfassenden Berufsbezeichnung "Bauer" oder "Landwirt" unterordnen.

In der Auslegungsgeschichte des Amosbuches stößt man allerdings immer wieder auf Zweifel, ob und wie sich die vier Berufsbezeichnungen des Amos harmonisch zu einem Ganzen zusammenfügen ließen. Da נֹקֵד als Titulierung des Königs Meša von Moab nicht einen einfachen, selbst mit seinen oder anderer Leute Schafe durch die Gegend ziehenden Hirten bezeichnen könne, sondern nur einen wohlsituierten Herdenbesitzer, sei es schwer vorstellbar, daß der נֹקֵד Amos direkt von der Herde weg (מֵאַחֲרֵי הַצֹּאן) berufen worden sei. Mit der Kombination von Kleinvieh (צֹאן) und Rindern (בָּקָר) zwinge man ferner Tierarten zusammen, deren gemeinsame Haltung mehr Mühen als Vorteile mit sich bringe. Vielleicht war das schon der Grund, weshalb die LXX בוֹקֵר mit αἰπόλος "Ziegenhirte" übersetzte. Bei den anderen griechischen Übersetzungen fand sie darin allerdings keine Nachfolger; sie haben בוֹקֵר gelesen, richtig von בָּקָר abgeleitet und mit βουκόλος "Rinderhirte, Rinderhalter" übersetzt. Nur das Targum hat die vier Angaben zum Beruf des Amos auf drei reduziert, indem es sowohl נֹקֵד in Am 1,1 als auch בוֹקֵר in Am 7,14 gleichermaßen mit מרי גיתין "Herdenbesitzer" übersetzte. Wenn das Targum Amos außerdem sagen läßt, daß er "Feigen in der Schephela" besitze (ושקמים לי בשפילא), dann sollen damit möglicherweise erste Zweifel daran beseitigt werden, daß ein viehbesitzender Bauer aus dem hochgelegenen Thekoa sich mit Bäumen beschäftige, die nur in tiefer gelegenen Landstrichen, in der Schephela oder beim Toten Meer gedeihen.

Derartige Skepsis dauert bis in unsere Tage an, wobei die Diskussion nun allerdings modernisiert vor allem nach dem sozialen Status des Amos fragt und sich dafür interessiert, ob er ein reicher Großbauer, ein bescheidener Kleinbauer, ein Miethirte oder ein armer Tagelöhner war[11]. Seit Mešas Titulierung als נֹקֵד haftet dem Ausdruck ein nicht unerheblicher Geldgeruch an, einen gewissen finanziellen Hintergrund setzt der Besitz von Rindern voraus, den selbständigen oder abhängigen Kleinviehhirten sucht man eher unter den weniger begüterten Bevölkerungsschichten, den Sykomorenritzer schließlich unter Tagelöhnern. Stellt man sich ferner die im Amosbuch gesammelten Worte im Munde eines Bauern aus Thekoa vor, dann kann man sich leicht mit Jesus Sirach (38,25) fragen, wie denn derjenige weise werden könne, der den Pflug regiere. Der intellektuelle und wissensmäßige Horizont des Amos ist weiter gesteckt als viele von uns ihn in der Enge eines Bauerndorfes wie Thekoa für möglich halten[12].

Uns braucht diese Diskussion im Folgenden nicht mehr zu beschäftigen. Ob Amos ein armer oder ein reicher, ein an seiner Scholle haftender Bauer oder ein weitgereister Viehzüchter war, das mag seine Ansichten, nicht aber generell seine Sicht der Dinge beeinflußt haben. Seine Sicht, das dürfen wir als Fazit aus den Überlieferungen zum "bürgerlichen Beruf" des Amos ziehen, war die des Bauern, der am Rande des Kulturlandes lebte und die Wüste, wenn auch nicht direkt vor der Haustüre, so doch ständig im Blickfeld hatte. Daß er von Berufs wegen mit Tieren und auch Pflanzen zu tun hatte, entspricht den Gegebenheiten des judäischen Berglandes. Monokultur läßt sich hier mit den traditionellen Techniken der Landwirtschaft nicht betreiben. Die intensive, und das heißt sofort, die vielseitige Aus-

11 Daß man die "soziale Herkunft" des Amos nicht allzu niedrig ansetzen darf, hat sich allgemein durchgesetzt; vgl. z.B. SCHOTTROFF 1979: 41. Nachdem darin ein Konsens erreicht ist, verlagert sich die Fragestellung zunehmend weg von der Person des Amos und wendet sich verstärkt dem "sozialen Hintergrund der Botschaft" zu (*ibid.*: 49-59); vgl. auch LANG 1982.

12 WOLFF 1969: 107f., vermutet, daß nicht nur die im Tor im Kreis der Ältesten gepflegte "Sippenweisheit" das Denken des Amos maßgeblich bestimmt, sondern daß dazu auch Reisen, die im Zusammenhang mit der Schafzucht und Pflege der Sykomoren erforderlich gewesen seien, das Ihrige beigetragen hätten. Ein anderer Versuch, das breite Wissen des Amos zu erklären, läuft darauf hinaus, seine Berufsbezeichnungen nicht auf landwirtschaftliche, sondern kultische Tätigkeiten zu beziehen. Ablehnend dazu SCHOTTROFF 1979: 60 Anm. 12; zu den von SCHOTTROFF genann-

nutzung des Bodens zwingt Vieh- und Ackerwirtschaft hier in eine untrennbare Kombination.

Haben wir uns im Netz der Traditionsbildung verfangen, wenn wir Amos unter die Bauern von Thekoa im 8. Jahrhundert v.Chr. einreihen? Daß in der Buchüberschrift (1,1) der Relativsatz אֲשֶׁר-הָיָה בַנֹּקְדִים sekundär eingefügt und die Information, die er enthält, vielleicht aus Am 7,14f. herausgesponnen sein könnte, vermutet man schon lange[13]. Das angebliche Selbstzeugnis des Amos in 7,14f. ist in einen Fremdbericht eingebettet und damit für den kritischen Historiker nicht über alle Zweifel erhaben[14]. Was bleibt dann noch vom Bauern Amos übrig, wo finden wir verläßlichere Spuren von ihm?

"Lämmer aus der Herde und Kälber mitten aus der Fesselung(szeit) heraus" verwöhnen den Gaumen der in Luxus Lebenden (6,4b), während sie sich um "Josephs Bruch" nicht kümmern (6,6b). Nicht Sentimentalität oder Mitleid mit dem lieben Vieh bewegen Amos, Bauernweisheit diktiert ihm die Richtung seines Vorwurfs. Die Übersetzung "Kälber mitten aus der Fesselung(szeit) heraus" für עֲגָלִים מִתּוֹךְ מַרְבֵּק klingt ungewohnt. Noch dreimal findet man מַרְבֵּק im Alten Testament, jeweils als genitivische Näherbestimmung zu עֵגֶל (1.Sam 28,24) bzw. עֶגְלֵי (Jer 46,21; Mal 3,20; vgl. JesSir 38,25). Zweifellos handelt es sich bei מַרְבֵּק um ein mit dem präformativen *Mēm* gebildetes Nomen, das von einem im alttestamentlichen Hebräischen nicht vorkommenden Verbum רבק* abgeleitet ist und für das man in Analogie zu arab. *rabaka* die Grundbedeutung "binden, fesseln" annimmt. "Masthürde" oder "Maststall" haben sich dementsprechend als Übersetzungen für

ten Arbeiten ist inzwischen zu ergänzen CRAIGIE 1982.

13 Vgl. MARTI 1904: 156 (unter Berufung auf J.WELLHAUSEN). Weitere entsprechende Meinungen bei KOCH und MITARBEITER 1976: 102.

14 Gegen eine derartige Skepsis wendet sich PFEIFFER 1984. Wenn er allerdings daraus, daß Am 7,10-17 in Gedankenführung und Aufbau der sonstigen Verkündigung des Amos entspreche, den Schluß zieht, "daß wir hier keinen 'Fremdbericht' vorliegen haben, sondern einen Text, der von ihm selbst stammt, wobei er sich des stilistischen Mittels der Abfassung in der dritten Person bedient" (*ibid.*: 118), dann führt dies einen gewagten Schritt über die weitverbreitete Meinung hinaus, ein Amos Nahestehender habe 7,10-17 verfaßt (Belege für diese Meinung *ibid.*: 116 Anm. 21).

מַרְבֵּק eingebürgert[15]. Die jungen Kälber, deren zartes Fleisch man besonders schätzte, seien in Gehegen gehalten oder angebunden worden, um sie in ihrer Bewegungsfreiheit einzuengen: Sie sollten sich nicht mager laufen. Mit "Bindeort" übersetzt G.DALMAN מַרְבֵּק vager und auch vorsichtiger. Dazu vermerkt er, daß man "das zu mästende Tier gerne im Haus oder im Stall angebunden" habe[16]. Derartige Lösungen für מַרְבֵּק gehen aber am inhaltlichen *Parallelismus membrorum* von Am 6,4b vorbei. Wenn Lämmer aus der Herde zum Verzehr ausgesondert werden, dann entreißt man sie ihrem natürlichen Lebenszusammenhang, Jungtier und Muttertier werden voneinander getrennt[17]. Wenn Kälber dagegen aus der "Masthürde" heraus genommen, geschlachtet und verzehrt werden,dann führt man sie lediglich der Bestimmung zu, die der Bauer ihnen bereits zugedacht hatte, als er sie zur Mast einpferchte oder festband. Letztendlich stünde entsprechend des Denkgefälles des *Parallelismus membrorum* in Am 6,4b der Bauer als der Schuldige da. Vielleicht ist aber in Am 6,4b - und ebenso in 1.Sam 28,24; Jer 46,21; Mal 3,20; JesSir 38,25 - mit מַרְבֵּק an einen anderen "Bindeort" für junge Kälber gedacht. Einen solchen zeigen uns ägyptische Sarkophagreliefs aus der Nekropole von *Dēr el-Baḥrī* (11. Dynastie, 2. Hälfte des 3. Jt.s v.Chr.)[18]. Übereinstimmend bilden sie ein neugeborenes Kälbchen ab, das an eines der Vorderbeine des Muttertieres so kurz angebunden ist, daß es das Euter der Mutter nicht erreichen kann. Ihm bleibt die Muttermilch vorenthalten und statt seiner bedient sich der Mensch der Kuhmilch. Dementsprechend zeigen die Reliefs ihn beim Melken. Die Darstellungen führen uns keine Kälbchen bei der Mast vor. Eher ist hier das Gegenteil ins Bild eingefangen, nämlich die allmähliche Entwöhnung des Kälbchens von der Muttermilch. Nur dosiert läßt der Mensch

15 Vgl. KOCH und MITARBEITER 1976: 186.
16 DALMAN 1939: 178.
17 Umfassend dazu KEEL 1980.
18 KEEL 1980: Abb. 6f. Interessant ist ein Vergleich dieser Darstellungen mit der Szene auf dem sogenannten "Melkerfries" aus *Tell ᶜObēd* (Ur I-Zeit). Es zeigt zwei Kühe in Seitenansicht beim Melken. Ihre Kälbchen stehen mit zusammengebundenem Maul dabei und wenden ihnen die Köpfe zu. Die "Maulkörbe" sollten kaum die sicherlich harmlosen Kälbchen am Beißen hindern; statt dessen sollen sie ihnen das Trinken unmöglich machen. Vgl. dazu die gute Photographie bei STROMMENGER 1962: Abb. 78.

Melkszene auf dem Sarkophag der Kauit aus *Dēr el-Baḥrī* (nach PRITCHARD 1969: Nr. 100).

dem Jungtier die mütterliche Nahrung zukommen, beläßt es aber in engster Nähe beim Muttertier, indem er es an ihr Vorderbein fesselt. Wird ein solches Kälbchen zur Schlachtung freigegeben, dann zerschneidet man das auch vom Bauern respektierte und durch die Anbindung des Jungtiers an das Muttertier quasi künstlich nachvollzogene Band zwischen beiden. Lämmchen, die noch in die Herde zu ihren Muttertieren gehören, und Kälbchen, die man noch an das Muttertier festbindet, werden verzehrt. Diese Praxis geißelt Amos. Nicht jung und zart genug kann das Fleisch sein, das die Wohlhabenden sich leisten. Natürliche Bindungen werden dabei durchschnitten, die der Bauer Amos respektiert sehen möchte. Falls es sich um Jungtiere handeln sollte, die noch keine acht Tage alt waren, dann hätte Amos bei seinem Vorwurf auch das Gesetz auf seiner Seite[19].

19 Stiere und Kleinvieh sollen laut Ex 22,29 sieben Tage lang "bei ihrer Mutter" (עִם-אִמּוֹ) verbleiben, bevor sie zur Opferung freigegeben sind. Detaillierter spricht Lev 22,27 von Stieren, Lämmern und Ziegen und vermerkt, daß sie sieben Tage lang "unter ihrer Mutter" (תַּחַת אִמּוֹ) verbleiben sollen. Die vom Gesetz vorgesehene Schonfrist von sieben Tagen bezieht sich nur auf Kleintiere, die zur Opferung vorgesehen sind. Für zum Verzehr bestimmte Tiere dürfte man in der Praxis die Schonfrist großzügiger bemessen haben, ohne daß es dafür einer entsprechenden gesetzlichen Regelung bedurft hätte. Falls die hier vorgeschlagene Deutung von

Der Bauernblick des Amos dürfte auch dafür verantwortlich sein, daß ihm die Umrisse der vornehmen Damen Samarias verschwimmen und die Konturen von Basansühen annehmen. פָּרוֹת הַבָּשָׁן (4,1a) nennt er sie respektlos. Man muß nicht lange nach dem Anknüpfungspunkt suchen, der bei Amos diese Assoziation auslöste[20]. Rinder, die auf dem Basan, dem fruchtbaren transjordanischen Hochland zwischen Hermon und Gilead weiden, sind stark (Ps 22,13) und wohlgenährt (Dtn 32,14; Ez 39,18). Was könnte ein Bauer des 8. Jahrhunderts v.Chr. aus Thekoa gegen stattliches Rindvieh einzuwenden haben?Gegen Basanskühe sicherlich nichts. Wie so oft ist aber auch in diesem Fall die Metapher nicht völlig deckungsgleich mit dem, wofür sie stehen soll. Im nächsten Atemzug muß Amos sie zurechtbiegen. אֲשֶׁר בְּהַר שֹׁמְרוֹן fügt er hinzu: "auf dem Berg/der Akropolis von Samaria". Da weiden aber keine Basanskühe; die finden ihre reiche Nahrung entweder östlich des Jordans, oder sie sind keine Basanskühe mehr. "Basanskühe auf der Akropolis von Samaria" sind ein Widerspruch in sich selbst. Was soll das schiefe Bild? Will Amos damit ausdrücken, daß auch die Akropolis von Samaria, das politische Herz des Nordreichs, eine fette Weide sei, auf der man satt und üppig werden könne? Sind die Damen der samarischen Oberschicht dafür der sichtbare Beweis? Aber wie wird man hier stark und fett? Friedliches Grasen allein dürfte anders als bei den auf dem Basan weidenden Kühen kaum ausreichen. Die Verhältnisse sprechen dagegen. Nur mit Gewalt, Ausbeutung und Anmaßung

עֵגֶל-מַרְבֵּק als an das Muttertier angebundenes Jungkalb zutrifft, dann dürfte man die Tiere so lange geschont haben, solange sie noch so unselbständig waren, daß man sie am Muttertier festband. Insofern muß sich Am 6,4b nicht notwendig auf eine Gesetzesübertretung von Ex 22,29 bzw. Lev 22,27 beziehen, und ebensowenig braucht dies bei der "Hexe von Endor" der Fall zu sein, die ein im Haus vorhandenes עֵגֶל-מַרְבֵּק schlachtet (1.Sam 28,24). - Wenn Jer 46,21 Söldner Ägyptens bei ihrer kopflosen Flucht und Mal 3,20 diejenigen, die vor Freude hüpfen, wenn über ihnen die "Sonne der Gerechtigkeit" aufgeht, mit עֶגְלֵי - מַרְבֵּק vergleichen, dann dürfte an die temperamentvollen, noch ungesteuerten und ungelenken Bewegungen junger Kälber gedacht sein. Mastkälber bewegen sich dagegen wegen ihres unnatürlich hohen Gewichts träge und schwerfällig, und das paßt nicht ins Bild von Jer 46,21 und Mal 3,20. Für unseren Deutungsvorschlag von עֵגֶל-מַרְבֵּק läßt sich ferner anführen, daß das alttestamentliche Hebräisch in מְרִיא eine Bezeichnung für "Mastvieh", vielleicht sogar speziell für "Mastkalb" besitzt, und diese in Am 5,22 verwendet wird.

20 Das assozierte Bild ist mit SEYBOLD (s.u. 32-34) unter die Karikaturen einzuordnen.

gelangt man hier zur Üppigkeit. Auszehr der anderen macht selber fett. Das ist die Folgerung des Amos, und mit diesem Rückschluß hat er das Bild von den Basanskühen verlassen. Erst im folgenden Gotteswort taucht es wieder auf: "Geschworen hat Jahwe bei seiner Heiligkeit: Ja, siehe, Tage werden kommen, da wird man euch fortschaffen mit Haken/Stricken/Nasenseil und was von euch übrig ist/euer Hinterteil mit Stacheln"[21]. Der gewaltsame Viehabtrieb von der guten Weide wird angekündigt; denn fettes Vieh ist bestes Schlachtvieh. Terminologie und Argumentation passen gut in den Mund von jemandem, der mit Viehzucht zu tun hat. Bei gut im Fleisch stehenden Vieh ist es nur natürlich, daß ein Bauer nach den Voraussetzungen fragt, die zur Wohlgenährtheit geführt haben. Amos selbst führt die Situationsanalyse durch, die Antwort auf die Verhältnisse gibt aber Jahwe: Die gewaltsam erreichte Üppigkeit beantwortet er mit dem bevorstehenden gewaltsamen Viehabtrieb[22]. Im Munde des Amos spricht auch Jahwe im Bauernjargon.

Nicht überall, wo Bilder aus dem Bauernmilieu auftauchen, muß das im Beruf des Amos seinen Grund haben. Auch Vorgeprägtes kann darunter gemischt sein, etwa wenn Amos die vielleicht als Sprichwort kursierende doppelte rhetorische Frage stellt: "Laufen Pferde über Felsen oder pflügt man mit Rindern das Meer?" (6,12)[23], oder wenn er Gottes Abweisung der ihm dargebrachten Schlachtopfer verkündigen muß und dabei ausdrücklich das Mastvieh erwähnt (5,22). Letzteres könnte zwar ein durchaus zu Amos passendes Detail sein, aber auch andere Schriftpropheten sprechen auf diese Weise[24]. Andererseits kann Amos

21 Übersetzungsvorschläge zum schwierigen Text bei KOCH und MITARBEITER 1976: 138. Um störrische Tiere in eine gewünschte Richtung zu bewegen, bot sich zu allen Zeiten das Ziehen mittels einer durch einen Nasenring gezogenen Leine und das Stoßen mittels Stöcken an. Für das störrische Tier *par excellence*, den Esel, ist diese Praxis mehrfach auf ägyptischen Reliefs in *Serābīṭ el-Ḫādem* (Sinaihalbinsel) abgebildet; vgl. GARDINER-PEET 1952/55: Taf. 37.39.44.85. Nasen- bzw. Nüsternringe sind im Vorderen Orient seit der frühen Phase der Pferdehaltung keine Seltenheit; vgl. HANČAR 1955 (1956): 472.527. Zur analogen Praxis bei Rindern vgl. STROMMENGER 1962: Taf. X.

22 Zu Recht betonen die Ausleger, daß Amos nicht den Luxus an und für sich anprangert, sondern den Weg, auf dem er erreicht wird; vgl. z.B. KOCH 1978: 61; SCHOTTROFF 1979: 51f.

23 Zum Text vgl. KOCH und MITARBEITER 1976: 197.

ebensogut Vorgeformtem eine individuelle Note gegeben haben. Daß die Natur trauere (אבל), entweder das Land (אֶרֶץ: Jes 24,2; 33,9; Jer 4,28; 12,4.11; 23,10; Hos 4,3) oder der Erdboden (אֲדָמָה: Joel 1.10), ist ein derartiger vorgegebener Ausdruck[25]. Wenn Amos aber von den trauernden Weiden der Hirten (נְאוֹת הָרֹעִים: Am 1,2) spricht, dann trägt er damit wahrscheinlich einen persönlichen Zug in das vorgestanzte Bild ein, weil er es mit den Augen des besorgten Hirten sieht.

Kälber und Kühe, Lämmer und Herden, Pferde und Rinder haben bisher unseren Weg durch Texte des Amosbuches bestimmt. Eingangs erwähnten wir, daß *Ḫirbet Teḳu*[c] nahe dem Steppengürtel zwischen dem Kulturland im Westen und der unbebauten Wüste im Osten liegt. Von daher droht Gefahr. Löwen, Bären und Schlangen dringen von hier aus in die geordnete Kulturwelt ein[26]. Wer in Thekoa lebte, lebte mit dieser Gefahr. Das ist der Erfahrungs- und Vorstellungshintergrund, vor dem wir die Schilderung des Jahwe-Tages in Am 5,18-20 hören müssen:

18 Ach über die, die den Tag Jahwes herbeisehnen!
Was soll euch denn der Tag Jahwes?
Dunkelheit ist er und nicht Licht,
19 - gleich wie ein Mann dem Löwen entkommt -
da begegnet ihm der Bär,
er kommt nach Hause und stützt sich mit der Hand an die Wand -
da beißt ihn die Schlange.

24 Vgl. speziell Jes 1,11 und zu den verwandten Texten allgemein WÜRTHWEIN 1970.

25 Zur Deutung des Ausdrucks vgl. HUBMANN 1978: 140-143 und HUGGER 1982: 301-313.

26 Die weitverbreitete Meinung, daß die Raubtiere Palästinas, allen voran der Löwe, ausschließlich in bewaldeten Regionen gelebt und hier ihre Schlupfwinkel gefunden hätten - etwa auf dem Basan (Dtn 30,22), dem Hermongebirge (Hld 4,8) oder im Jordandickicht (Jer 49,19) -, ignoriert die günstigen Lebensbedingungen, die Raubtiere in der Steppe, und das heißt alttestamentlich gesprochen, in der "Wüste" (s.o. Anm. 4) vorfanden. In diesem spärlich besiedelten Gebiet waren sie vor ihrem Hauptfeind, dem Menschen, relativ sicher, und die Kleintiere der Steppe (z.B. Gazellen) boten ihnen ausreichende Nahrung. In Jes 30,6f. hat dies seinen Ausdruck darin gefunden, daß Löwen unter die בַּהֲמוֹת נֶגֶב, "die Tiere des Südlandes" gerechnet werden, die die von Palästina nach Ägypten Reisenden gefährden. Klimatisch und mit seiner Flora und Fauna entspricht der Steppengürtel zwischen dem judäischen Bergland und der judäischen Wüste dem Negev. Aus ihm dürften etwa der Löwe und der Bär gekommen sein, die

20 Ist nicht Dunkelheit der Tag Jahwes und nicht Licht?
Und beherrscht ihn nicht Finsternis, ohne jeglichen Schein darin?

Das Bild von demjenigen, der erst dem Löwen, dann dem Bären glücklich entronnen zuhause dann doch von der Schlange gebissen wird[27], fungiert als hermeneutisches Mittelstück des Abschnitts. Mit ihm legt Amos den Zuhörern aus, was der Tag Jahwes für sie bringen wird. Die thetisch vorgestellte Aussage, der Tag Jahwes breche als Dunkelheit und nicht als Licht an, gilt nach dem Mittelstück als erklärt; denn nun kann Amos seine Eingangsthese in Form rhetorischer Fragen wiederholen und auf die Zustimmung seiner Zuhörer hoffen.

Es fällt uns nicht eben leicht, der Exegese des Amos zu folgen. Deshalb dürfte es ratsam sein, erst nach dem exegetischen Erwartungshorizont der Sätze zu fragen, die die Bilderzählung umrahmen. Was soll der Bildteil ihrer Meinung nach erklären? Die Antwort darauf legt sich nahe: Die Dunkelheit, mit der der Tag Jahwes anbrechen wird, verlangt nach einer Begründung. Daß es einen künftigen Tag Jahwes gibt, das wissen diejenigen, über die Amos seine Klage anstimmt. Allerdings erwarten sie von diesem Tag Licht, und das ist auch der Grund, weshalb sie ihn herbeisehnen. Insgesamt sechsmal weist Amos diese optimistische Zukunftserwartung ab: dreimal, indem er die Anwesenheit von Licht im Tag Jahwes verneint - לֹא-אוֹר (Vv. 19.20), וְלֹא-נֹגַהּ לוֹ (V. 20) -, und dreimal, indem er auf der Dunkelheit dieses Tages insistiert - הוּא חֹשֶׁךְ (V. 19), חֹשֶׁךְ יוֹם יְהוָה (V. 20), וְאָפֵל (V.20). So lautet die These, die Amos den Erwartungen und Hoffnungen auf den Tag Jahwes entgegensetzt, und diese These muß er begründen und so erläutern, daß seine Zuhörer sie ak-

David erschlagen haben soll, als er in der Gegend von Bethlehem die Kleinviehherden seines Vaters weidete (1.Sam 17,34-36). Dazu und mit weiteren Belegen für das Vorkommen von Raubtieren und Schlangen in Steppen- und Wüstengebieten FELIKS 1981: 94-97.

27 Es handelt sich um die bildhafte Umsetzung einer Kurzgeschichte, deren Pointe darin liegt, daß kleine unscheinbare Tiere dem Menschen oft gefährlicher sind als große bedrohlich erscheinende Raubtiere. Das Motiv wird in vielen Erzählungen und Lehrstücken variiert. Vgl. z.B. bei HITTI 1964: 138f., die Erzählung vom erfolgreichen Löwentöter, der am tödlichen Biß eines Skorpions stirbt.

zeptieren. Das ist der Zweck, den Vers 19 erfüllen soll.

Die in Vers 19 dicht gedrängte Geschehensabfolge läßt vor den Augen der Zuhörer eine Kette existenzbedrohender Gefahren abspulen, denen ein Mann zunächst entrinnt, letztendlich aber nicht entkommt. Löwe, Bär und Schlange verkörpern die Gefahr. Damit sind drei Tierarten genannt, die in der vom Menschen geschaffenen Kulturlandschaft keinen Platz haben. Sie gehören in den Bereich der vom Menschen nicht gebändigten Natur; sie gehören zur Wüste, zu der alttestamentliche und altorientalische Texte überhaupt immer wieder die Vorstellung von Dunkelheit assoziieren[28]. Im Kulturland ist es die Nacht, also wiederum die Dunkelheit, die es den Mächten der Wüste ermöglicht, in Bereiche vorzudringen, die der Mensch sich angeeignet hat. Mit der Nacht ragt ein Stück Wüste in die vom Menschen geordnete Welt hinein und gefährdet Mensch und Vieh. Davor hat man sich zu schützen, und man tut das unter normalen Umständen, indem man sich bei Anbruch der Dunkelheit in die Geborgenheit der Siedlungen und Häuser zurückzieht[29]. Die Bilderzählung des Amos, deren Absicht es ja ist, den Tag Jahwes als völlige Finsternis, sozusagen als Antitag zu erklären, endet damit, daß der dem Löwen und Bären entronnene Mensch selbst in der vermeintlichen Sicherheit des Hauses keinen Schutz mehr findet. Selbst hier lauert die Gefahr in Gestalt der Schlange. Löwe, Bär und Schlange sind Mächte der Dunkelheit, denen der Mensch am Tag Jahwes nicht entfliehen kann; denn dieser Tag wird als eine Nacht von bisher ungekanntem Ausmaß über ihn hereinbrechen, und die Gefahren der Nacht, und das heißt, die Gefahren der Wüste, werden ihn von allen Seiten umgeben.

28 Belege bei WEIPPERT 1981: 52-54. - Beachtenswert ist in diesem Zusammenhang die Nachricht bei CANAAN 1929: 16, "daß alle Tiere, deren Formen böse Geister annehmen, als *schwarze* beschrieben werden; während diejenigen, die von guten Geistern bevorzugt werden, *weiß* sein sollen". Im Volksglauben geht diese Farbensymbolik so weit, daß man sich Schlangen in ihrer segensreichen Funktion weiß vorstellt, in ihrer Funktion als böser Geist aber schwarz (*ibid.*: 14). Der negativ festgeschriebenen Vorstellungskette "Nacht - Dunkelheit - Wüste - Chaos" entspricht die positive Reihe "Tag - Licht - Kulturland - Schöpfung", dazu mit weiteren Literaturangaben JANOWSKI 1984.

29 Vgl. Ri 19,11; Luk 24,29; Joh 12,35 und dazu DALMAN 1928: 625-642. Zu bösen Geistern als Elementen der Nacht vgl. CANAAN 1929: 21.

Der Löwe ist für Amos das Schrecken verbreitende, todbringende Tier aus der Wüste, und als solches erscheint es auch in den von Amos verkündigten Gottesworten:

> So hat Jahwe gesprochen:
> Wie der Hirte aus dem Maul des Löwen zwei Wadenbeine oder einen Ohrzipfel retten,
> so werden die Israeliten gerettet, die in Samaria an der Lehne des Lagers und am 'Stützpolster' des Bettes sitzen (Am 3,12).

כַּאֲשֶׁר leitet hier wie in Am 5,19 die Bilderzählung ein, anders als in 5,19 ist sie aber durch das das folgende Gerichtswort eröffnende כֵּן sprachlich eindeutig darauf bezogen[30]. Die Herleitung des Bildteils aus dem Hirtenmilieu bereitet keine Schwierigkeiten. Die in Ex 22,9-12 überlieferte Gesetzesvorschrift informiert uns darüber, daß der seinem Auftraggeber gegenüber für den Viehbestand der Herde verantwortliche Hirte den Verlust von ihm anvertrauten Tieren entweder belegen oder ihren Wert aus eigener Tasche ersetzen muß. Für den Nachweis des Verlustes genügen dünne Wadenknochen oder auch nur ein Ohrläppchen; denn diese jämmerlichen Fetzen dokumentieren ausreichend, daß ein Raubtier den Verlust verursachte, also nicht dem Hirten anzulasten ist. Auf dem Hintergrund dieses Gesetzes ist der Bildteil von Am 3,12 (und auch Gen 31,39) zu verstehen. Wenn der Hirte mit Wadenbeinen oder einem Ohrzipfel nur soviel rettet, um den völligen Verlust eines Tieres dokumentieren zu können, dann bedeutet die im Gerichtswort angekündigte "Rettung" der in Samaria auf Luxusbetten Sitzenden analog ihre gänzliche Vernichtung.

Bei seiner Auslegung der Stelle hat S.MITTMANN[31] zeitgenössisches Bildmaterial gesammelt, das es erlaubt, das samarische Luxusbett zu rekonstruieren. Dabei fiel ihm auf, daß die damaligen Betten, sowohl die des ägyptischen als auch die des assyrischen Typs, durchgängig einen Bezug zum Löwen aufweisen,

30 Zur unterschiedlichen Art der Bildeinführung im Amosbuch vgl. WOLFF 1969: 117.

31 MITTMANN 1976. Die oben gebotene Übersetzung von Am 3,12 verarbeitet die Vorschläge MITTMANNs zum Text.

entweder indem sie auf Löwenbeinen stehen oder indem Löwenprotome oder Löwendarstellungen diese Betten verzieren. Die Konstanz, mit der der Löwe im Zusammenhang von Betten vorkommt, ließ MITTMANN zwei Schlüsse ziehen. Zum einen dürfe man sich auch das samarische Luxusbett mit Löwenbeinen oder Löwendarstellungen ausgestattet vorstellen, so daß das im einleitenden Bildteil von Am 3,12 erwähnte Löwenmaul wohl von daher assoziiert sei. Zum anderen müsse der Löwe als Bettschmuck mehr als nur dekoratives Beiwerk darstellen. Dem Löwensymbol habe man apotropäische Fähigkeiten zugetraut und sich deshalb unbesorgt auf einem mit seinem Symbol versehenen Bett zur Ruhe gelegt. Diese Annahme leuchtet deshalb ein, weil sich auch anderweitig die apotropäische Funktion des Löwenbildes nachweisen läßt. Auch die Grabruhe suchte man mithilfe des Löwen zu schützen, indem man Sarkophage oder Grabwände mit seinem Bild ausstattete[32], und monumentalen, aus Stein gehauenen Löwen wies man Wächterfunktionen an Stadt-, Palast- oder Tempeltoren zu[33]. In allen diesen Fällen begegnet uns der ikonographisch domestizierte und zum Feinde abwehrenden Symbol avancierte Löwe der Städter, in dessen Schutz sich anscheinend auch die Samarier geborgen fühlten. Selbst bei dem - in einen anderen Symbolzusammenhang gehörenden - Löwen, den assyrische Reliefs bei der Königsjagd abbilden, handelt es sich um das gebändigte Tier, das erst aus dem Käfig gelassen werden muß, bevor der König an ihm seine Macht demonstrieren kann[34]. Der Löwe des Amos stammt aus einer anderen Welt. Er kommt aus der Wüste und verkörpert die Mensch und Vieh bedrohende Gefahr. Gerade im Hirtenmilieu ist sein Aufstieg zum apotropäischen Symbol nur schwer vorstellbar.

32 Belege für den Löwen als Grabwächter während der Eisenzeit bei MITTMANN 1976: 165 Anm. 63. Die Fortdauer dieser Sitte in persischer Zeit belegen u.a. die nach vier Richtungen ausblickenden Löwen, die den Sockel eines der Grabmonumente im syrischen *ᶜAmrīt* dekorieren.

33 Zum Fortleben des Brauchs, Tore von Steinlöwen bewachen zu lassen, auch im Israel der Eisenzeit vgl. AMIRAN 1976.

34 Mehrheitlich hat man diese Löwen in eigens dafür eingerichteten zoologischen Gärten gezüchtet (vgl. dazu auch Ez 19,1-9; Dan 6,7-16). Indem sich der assyrische König an ihnen als erfolgreicher Löwenbezwinger erwies und sich auch als solchen darstellen ließ, dürfte er sich als Retter der unter Löwenplagen leidenden Bevölkerung haben feiern lassen; vgl. dazu READE 1976: 5f.; GALLING 1977: 152; KEEL 1978: 78-81.

Man kann nicht ausschließen, daß die Samarier das apotropäisch eingesetzte Löwenbild *bona fide* auf Jahwe bezogen und in ihm letztendlich denjenigen verehrten, der ihnen im Schutz des Löwen Sicherheit garantierte[35]. Träfe dies zu, dann wäre es nur noch ein kleiner Schritt vom Löwen als apotropäischen Zeichen zum Löwen als Symbol für Jahwes Funktion als Schutzgottheit.

Auch gleich zu Beginn des Amosbuches, in Am 1,2, wird Jahwes Erscheinen mit Verben umschrieben, die Amos sonst für das Brüllen ausgewachsener (שׁאג) und vermutlich für die Knurrlaute (נתן קולו) junger Löwen verwendet:

> Wenn Jahwe vom Zion her brüllt
> und von Jersualem her knurrt,
> dann trauern die Weiden der Hirten,
> und es verdorrt der Gipfel des Karmel.

Jahwes löwengleich geschildertes Auftreten hat nichts mit dem eines Schutzgottes gemein. Sein Brüllen und Knurren leiten die Theophanie des schrecklichen Gottes ein, worauf die Viehweiden mit Trauer und der waldreiche Karmelgipfel (vgl. Am 9,4; Hld 7,6) mit Verwelken reagieren. Aus der hier für Jahwe verwendeten Löwenmetapher spricht die Bekanntschaft mit dem Schrecken verbreitenden Löwen der Wüste. Mit dem apotropäischen Löwen der Städter verbindet ihn bloß seine äußere Erscheinungsform; sein drohende Laute ausstoßendes Maul richtet er aber gegen das Kulturland und die darin Lebenden. Der Schutzlöwe der Städte und ihrer Bewohner richtet sein Maul dagegen weg von ihnen und hin gegen eine vermeintlich oder tatsächlich feindliche Außenwelt: Torlöwen blicken weg von den Gebäuden, die sie bewachen sollen. die Löwen, die den Aḥiram-Sarkophag tragen, blicken weg vom Sarkophag, die als Möbelapplikationen verwendeten Löwen blicken weg von dem Gegenstand, den sie dekorieren, und bei den aus aufgerissenen Löwenmäulern herausragenden Klingen und Axtblättern blicken die Löwen weg von dem, der mit diesen Waffen kämpft[36]. Zwischen ihm und dem Feind stehen die Waffe und das

35 Dazu BOTTERWECK 1972: 120-122.

36 HEINTZ 1983 hat die Waffen dieses Typs zuletzt ausführlich behandelt. Zu Löwenköpfen, die das Griffende von Waffen dekorieren vgl. F.CRÜSEMANN, in FRITZ-KEMPINSKI, edd., 1983: 99-102 und Taf. 107A. Beim Führen

Schutzsymbol des Löwen. Amos dagegen schaut dem Löwen ins Maul.

Die Zurückführung von Am 1,2 auf Amos ist umstritten. Daß die Vorstellungswelt und ihre sprachliche Einkleidung in diesem Vers aber in der Verkündigung des Amos verwurzelt sind, ist kein Streitpunkt der Diskussion.

> Brüllt der Löwe im Wald,
> ohne daß er eine Beute hätte?
> Knurrt der junge Löwe an seinem Rastplatz,
> ohne daß er etwas gefangen hätte?

So fragt Amos in Am 3,4 und er beendet die derart eingeleitete Fragenreihe in Vers 8 mit der Doppelfrage:

> Der Löwe brüllt,
> wer fürchtet sich nicht?
> Jahe spricht,
> wer prophezeit nicht?

Nur noch in geraffter Form können wir die Bilder vor uns vorbeiziehen lassen, die aus der Welt des Ackerbauern stammen, und von denen das Amosbuch voll ist. Das Buch endet in 9,13-15 mit einem Ausblick auf künftige Heilstage, die Jahwe seinem Volk Israel verheißt:

> 13 Siehe, Tage werden kommen - Ausspruch Jahwes,
> da wird der Pflüger dem Schnitter auf den Fuß folgen
> und der Traubenkelterer dem Rebenpflanzer[37].
> Triefen werden die Berge von Most,
> und alle Hügel werden aufgeweicht sein.
> 14 Wenden werde ich das Geschick meines Volkes Israel:
> Aufbauen werden sie die zerstörten Städte und (darin) wohnen,
> bepflanzen werden sie die Weinberge und ihren Wein trinken,
> anlegen werden sie Gärten und ihre Früchte essen.
> 15 Einpflanzen werde ich sie in ihren Boden,
> und niemand wird sie mehr aus ihrem Boden herausreißen
> (, den ich ihnen gegeben habe - [dies] hat Jahwe dein Gott gesagt).

derart ausgestatteter Waffe, blickt der Löwenkopf wiederum weg von demjenigen, der damit kämpft. Möglicherweise sollten diese Löwenappliken den Kämpfenden vor einem unvermuteten Angriff von hinten schützen.

37 Der Ausdruck מֹשֵׁךְ הַזָּרַע stellt vor bislang noch nicht überwundene Schwierigkeiten; dazu KOCH und MITARBEITER 1976: 240f. Da man Reben nicht sät, sondern durch Ableger vermehrt, gibt die ungefähre Übersetzung dem Wortlaut nach - etwa "Zögling des Samens (= Setzling)" - in diesem Kontext keinen Sinn. Setzte man sich darüber hinweg, dann bereitete diese Übersetzung immer noch sachliche Probleme in bezug auf Ps 126,6,

Heilszeit erscheint hier als voll gefüllte Zeit, deren schneller Ablauf keine Pause zwischen den normalerweise von Ruhe- und Wachstumsperioden unterbrochenen landwirtschaftlichen Arbeiten zuläßt (V. 13). Ernte und Aussaat, Keltern der Trauben und Pflanzen von jungen Reben geschehen unmittelbar nacheinander. Der Jahresrhythmus, wie ihn der Geser-Kalender beschreibt[38], ist außer Kraft gesetzt. Mit unglaublicher Geschwindigkeit laufen die Prozesse in der Natur ab. Setzt man diese Zeitraffung in räumliches Denken um, dann stoßen sich die Dinge hart im Raum. Bevor der eine die Erntesichel aus der Hand gelegt hat, verdrängt ihn der andere, der mit dem Pflug das Feld für die nächste Aussaat bestellt, und wenn die Jungreben kaum gesetzt sind, ziehen die Kelterer schon in die Weinberge ein.

Unwillkürlich fühlt man sich bei dieser Szenerie an ägyptische Grabmalereien erinnert, die Ernte und Feldbestellung in ähnlich dicht gedrängter Weise nebeneinander abbilden[39] und damit dem Grabbesitzer seine ausreichende Versorgung auch im Jenseits garantieren. Nun kann es nicht fraglich sein, daß die ägyptischen Grabmalereien aus dem Kreislauf des bäuerlichen Jahres jeweils die Zeitpunkte ins Bild gebannt haben, die einen intensiven Arbeitseinsatz des Menschen verlangen, während sie die dazwischen liegenden Perioden einfach deshalb übergehen, weil in ih-

wo zwischen Aussaat und Ernte von Getreide von מֶשֶׁךְ-הַזָּרַע die Rede ist. Entsprechend des gedanklichen Dreierschritts des Verses kann sich der Ausdruck hier nur auf eine junge, aus einem Korn gekeimte und getriebene Pflanze beziehen, was sich zwar mit "Zögling des Samens (= Setzling)" zutreffend wiedergeben ließe, aber sachlich daran scheitert, daß man Getreide aussät und nicht setzt. Immerhin läßt sich nicht ausschließen, daß Ps 126,6 auf einen rituellen Vorgang anspielt, was ein Abweichen von der üblichen Praxis erklären könnte. - Jungreben gewinnt man durch Abschneiden und Stecken junger Triebe; den Vorgang beschreibt Ez 17,22. Die Ableger heißen שְׁתִיל* (Ps 128,3), für ihr Pflanzen gebraucht das alttestamentliche Hebräisch das Verbum שׁתל (in bezug auf Reben: Ez 17,8.10; 19,10 vgl. 19,13). - Die oben gebotene Übersetzung von מֶשֶׁךְ הַזָּרַע ist somit weder sprachlich noch sachlich einwandfrei abgesichert; dürfte aber durchaus die Intention des Textes treffen.

38 Zum Wortlaut des Kalenders vgl. GALLING 1977: 3f.; zur Art der Jahreseinteilung dieses Kalenders vgl. WEIPPERT, M. 1977: 167.

39 Vgl. z.B. die Abbildungen bei PRITCHARD 1969: Nr. 91.122.

nen keine Arbeiten anfallen. Schließlich sollen die auf den Bildern dargestellten Personen ja stellvertretend für den Grabbesitzer die gezeigten Arbeitsvorgänge im Jenseits ausführen[40].

Obwohl die Bildauswahl der ägyptischen Grabkunst insofern ganz von den spezifisch ägyptischen Jenseitsvorstellungen her geprägt ist, kehrt man von ihnen dennoch mit geschärftem Blick zu dem ganz andersartigen Text in Am 9,13-15 zurück. Es fällt nun leichter, die Akkzente zu erkennen, die in Vers 13 gesetzt sind. Mit den künftigen Heilstagen wird nicht einfach eine üppige, sozusagen von selbst wuchernde und Überfluß hervorbringende Natur verheißen. Sicherlich steht das im Hintergrund von Vers 13; genannt werden zunächst aber nur diejenigen, die in der Landwirtschaft arbeiten: Pflüger und Schnitter, Traubenkelterer[41] und Rebenpflanzer. Ihre Arbeit steht unter dem Segen jener Tage, sie führt deshalb zur sofortigen Ernte und zum überfließenden Ertrag. Die Keltern in den Weinbergen können den Most, also die vom Menschen gekelterten Trauben nicht mehr fassen, sie fließen über[42], und der Most durchweicht die Hügel.

Während Vers 13 die Zeiten ausschließt, die gewöhnlicherweise Ernte von Aussaat und Aussaat von Ernte trennen, beschreibt Vers 14 als Merkmal der künftigen Heilstage, daß der Mensch die Produkte seiner Arbeit genießen wird. Wer eine zerstörte Stadt aufbaut, wird darin wohnen, wer einen Weinberg anpflanzt, wird seinen Wein trinken, und wer einen Garten anlegt, wird seine Früchte essen. Auf dem Hintergrund der Sozialkritik im Amosbuch könnte man geneigt sein, dies als Aufhebung der Ausbeutung aufzufassen: Nicht mehr Getreidesteuern (5,11: מַשְׂאַת-בַּר) oder betrügerisch mit Getreide (שֶׁבֶר), Korn (בַּר) und selbst dem Kornabfall (מַפַּל-בַּר) spekulierende Händler (8,4-7) würden demnach den Ertrag aus der Bauernarbeit schmälern. Auch blieben die bäuerlichen Spitzenprodukte - Qualitätsweine

40 ERMAN-RANKE 1923: 357.
41 Wörtlich "Traubentreter" (דֹּרֵךְ עֲנָבִים), da die Trauben beim Keltern mit den Füßen getreten wurden; vgl. Jes 63,3; Mi 6,15.
42 Daß die Keltern in den Weinbergen lagen, geht aus dem Alten Testament (z.B. Joel 2,24) und dem archäologischen Befund hervor; dazu DALMAN 1935: 356-363; AHLSTRÖM 1978.

(מִזְרְקֵי יַיִן) und erstklassige Öle (רֵאשִׁית שְׁמָנִים) - dann nicht mehr nur den Begüterten vorbehalten (6,6b). So gesehen gäbe Am 9,13-15 die Antwort auf Am 5,11f. Der Text enthält aber mehr als nur das. Auch die zerstörten Städte sollen neu erstehen, und Vers 15 verweist als Grundlage der künftigen Heilstage auf Jahwe, der sein Volk so fest in seinen Boden einpflanzt, daß man es nicht mehr herausreißen kann. Krieg und Zerstörung, Deportation und Rückführung gehören damit ebenfalls in den Horizont von Am 9,13-15[43]. Dennoch, überschwengliche Heilserwartungen äußert der Text nicht, hier geht es nicht um "Rosen und Lavendel", wie J.WELLHAUSEN meinte[44], hier geht es um den gesegneten Bauernschweiß, der endlich bekommt, was ihm zusteht, nämlich den Ertrag aus seiner Arbeit.

Wer das Amosbuch mit dem Ausblick auf künftige Heilstage enden ließ, steht zur Diskussion[45]. Indem die beiden vorletzten Verse von Kapitel 9 zu den thematisch vergleichbaren alttestamentlichen Texten gehören, die alles Gewicht auf den Menschen und seine Arbeit legen[46], die paradiesische Fruchtbarkeit demgegenüber aber völlig in den Hintergrund drängen und nur stillschweigend davon ausgehen, schließen sie vorzüglich an die Sprach- und Bildwelt des Amosbuches an.

Geht man im heutigen Text des Amosbuches nur wenige Verse zurück, dann stößt man in Am 9,9 auf ein Gerichtswort, dessen erläuternder Bildteil einen Arbeitsvorgang aus der Ernte aufgreift:

> Denn siehe, ich gebe Befehl und schüttle unter allen Völkern das Haus Israel,
> gleich wie man im Sieb schüttelt, ohne daß ein Stein[47] zur Erde fällt.

43 Es ist unwahrscheinlich, daß damit ein Rückgriff auf Am 7,17 vorliegt.

44 WELLHAUSEN 1898: 96, wollte damit den Kontrast zur sonstigen Verkündigung des Amosbuches hervorheben, deren Tenor er mit "Blut und Eisen" umschrieb.

45 Literatur dazu bei WEIMAR 1981, der seinerseits eine überaus komplizierte Entstehungsgeschichte von Kapitel 9 rekonstruiert.

46 Darin stehen Lev 26,4f. und Dtn 28,3-8 Am 9,13f. besonders nahe. Den Überfluß in der Natur betonen dagegen Ps 65,10-14; 67,7; Joel 2,22-27; 4,18. Die Motivverwandtschaft zwischen den genannten Texten erklären REVENTLOW 1962: 90-110,und KAPELRUD 1961: 57, gattungsgeschichtlich.

47 Zu den verschiedenen antiken und modernen Übersetzungen von צְרוֹר vgl. KOCH und MITARBEITER 1976: 236f.

Wie in Am 9,7, wo Jahwe Israel ein Vorzugsrecht gegenüber den Kuschiten oder Philistern abspricht, wird Israel auch hier unter die Völker gerechnet: Zusammen mit ihnen wird Jahwe es schütteln. Was damit gemeint ist, erklärt der mit כַּאֲשֶׁר eingeführte Bildteil mit seinem Hinweis auf das Getreidesieb (כְּבָרָה). Das gedroschene, geworfelte und damit erst unzulänglich gereinigte Korn wird vor seiner Einlagerung zweimal gesiebt[48]: Zuerst in einem grobmaschigen Sieb, durch das alle kleinen Bestandteile, zu denen auch die Körner gehören, zu Boden fallen, während Restbestände von Häcksel, Erdklumpen und größere Steinbrocken darin zurückbleiben; beim zweiten Siebvorgang verwendet man ein feinmaschiges Sieb, in dem das Korn zurückgehalten wird, während feine Beimengungen, vor allem Staub, zu Boden fallen. Wenn Am 9,9 vom Sieb spricht, durch das kein Stein zu Boden fällt, dann setzt dies das beim ersten Siebvorgang benutzte grobmaschige Sieb voraus. Grobe Verunreinigungen bleiben in ihm zurück, alles das, was man nicht brauchen kann, der Abfall. Die traditionell betriebene palästinische Landwirtschaft produziert nur wenig Unbrauchbares; selbst auf den ersten Blick als Abfallprodukte verdächtige Dinge, etwa Häcksel oder Mist, lassen sich weiterverwerten. Die beim Kornsieben ausgeschiedenen Bestandteile aber sind wertlos. Dieser Aspekt klingt mit an, wenn Am 9,9 auf das Getreidesieb verweist. Man sollte es sich gut überlegen, ob man aus (schwachen) textkritischen oder metrischen Gründen in Vers 9a "unter allen Völkern" (בְּכָל-הַגּוֹיִם) ausscheidet[49]. Im Getreidesieb bleibt in der Regel jedenfalls nicht nur ein Stein zurück!

Auch vom eisernen Dreschschlitten[50] spricht das Amosbuch (1,3b), dem aus zwei nach vorn hochgebogenen Brettern zusammengesetzten Instrument, auf dessen Unterseits scharfe Steine oder eiserne Messer eingesetzt sind. Auf dem Dreschschlitten stehend läßt sich der Bauer von Zugtieren wieder und wieder über den auf der Tenne aufgeschichteten Getreidehaufen ziehen, wobei sein Gewicht die Schneidekraft der Steine oder Messer erhöht.

48 Dazu DALMAN 1933: 139-148.
49 Zur Gegenposition vgl. WEIMAR 1981: 74.
50 Dazu WEIPPERT, H. 1977: 63f.

Auf diese Weise werden die Halme zerschnitten, das Korn von den Ähren gelöst. Auch vom Lastwagen hören wir (2,13), der die Garben vom Feld zur Tenne transportiert, und dessen Räder sich dann, wenn er schwer beladen ist, tief in den Ackerboden einwühlen können[51].

Daß in der Plagenreihe von Am 4,4-13 Hunger (V. 6), Dürre (Vv. 7f.) und Mißernte (V. 9) besonders breit und detailliert geschildert werden, ist vielleicht kein Zufall[52]. Ebenso fällt auf, daß im Zyklus der vier Visionen in Am 7,1-9 und 8,1f. drei von Szenen oder Motiven aus der bäuerlichen Welt ausgehen. Die erste Vision (7,1-3) führt Amos eine nicht näher beschriebene Person vor Augen, von der gesagt wird, daß sie Heuschrecken forme. Das Geschehen wird präzise in die Zeit datiert, während der das erste Grün zu sprossen beginnt. Das ist die Zeit, in der die Futtervorräte zur Neige gehen, und die Bauern darauf angewiesen sind, ihr Vieh wieder auf die Weide zu treiben[53]. In der zweiten Vision (7,4-6) erblickt Amos eine wiederum nicht näher beschriebene Person, die etwas herbeiruft, eventuell eine Feuerflamme (לַהֶבֶת אֵשׁ), kaum einen "Feuerregen" (רְבִב אֵשׁ)[54], da im weiteren ein feminines Subjekt vorausgesetzt ist. "Sie" verzehrt eine große unterirdische Flut (תְּהוֹם רַבָּה)[55] und ist gerade dabei, auch den Acker (חֵלֶק) zu verzehren, wie Amos seinen Einspruch vorträgt. So schwierig die Auslegung im Einzelnen ist, so deutlich sind dennoch die Grundzüge des visionären Geschehensablaufes. Ausgelöst wird er durch Feuer oder Hitze, wobei man sich speziell das Aufzehren der großen unterirdischen Wasserflut als ein Geschehen vorstellen muß, das sich unter der

51 GESE 1962: 421; vgl. ferner KOCH und MITARBEITER 1976: 124.

52 Zum Vergleich zwischen Am 4,4-13; Lev 26; Dtn 28; 1.Kön 8 vgl. die Tabelle bei WOLFF 1969: 252.

53 Nicht nur das Überleben der Herdentiere hängt vom frischen Sommergras ab; es bestimmt auch die Quantität und Qualität der Milch; dazu DALMAN 1939: 189.

54 Es ist bedauerlich, daß die Lesung "Feuerregen" am Kontext scheitert; denn sie kommt ohne Änderung des Konsonantenbestandes aus und paßt gut als Umschreibung für eine Dürre von katastrophalem Ausmaß.

55 Das artikellos gebrauchte תְּהוֹם רַבָּה läßt die Ausleger verständlicherweise an das Chaosmeer der Schöpfung denken (Gen 1,2 u.ö.). In der Eisenzeit verstand man es jedoch durchaus, mit dem Grundwasser umzugehen. Durch Brunnenschächte machte man es sich nutzbar. Von daher sollte man bei תְּהוֹם רַבָּה nicht ausschließlich an das Chaosmeer denken; auch das Grundwasser kann damit gemeint sein.

Oberfläche des Ackerbodens abspielt. Sollte hinter diesem Bild möglicherweise die Bauernerfahrung stehen, daß bei großer Dürre und Hitze der Grundwasserspiegel sinkt, und der Boden darüber rissig wird, als wäre er von unten her angenagt[56] ? Die vierte Vision schließlich (8,1f.) ist die einzige, bei der Amos nicht Zeuge eines Geschehensablaufes wird, sondern ein statisches Bild vor sich sieht, einen Erntekorb, wie sich כְּלוּב קַיִץ ungezwungen übersetzen läßt[57]. Man wird es der starken Suggestivkraft von Jer 24 zuschreiben müssen, daß die Ausleger sich den Erntekorb von Am 8,1f. beharrlich gefüllt vorstellen[58]. Sehr viel pointierter fällt das deutende Jahwewort aber aus, wenn er es neben einem leer bereit stehenden Erntekorb ausspricht: "Gekommen ist das Ende/die Ernte für mein Volk Israel, nicht noch einmal gehe ich an ihm vorüber". Die Erntezeit ist da, Jahwe beginnt mit dem Pflücken und Einsammeln der Früchte, den leeren Korb hat er schon bereit gestellt[59].

Sicherlich enthält das Amosbuch noch viel Bildmaterial, das im Zusammenhang unserer Fragestellung zu betrachten wäre; doch mag es mit dem Vorgeführten sein Bewenden haben. Es wird langsam Zeit, zu fragen, was der Gang durch einen Ausschnitt aus der Bildwelt des Amosbuches für die beiden eingangs gestellten Fragen erbracht hat.

56 Die sogenannten "Trockenrisse" im Boden lassen sich in Wüstengebieten besonders gut beobachten; vgl. z.B. die Photographie bei GERSTER 1961: Taf. 24.

57 Zu קַיִץ in der Bedeutung "Ernte, Lese" vgl. Jes 28,4; Jer 8,20. Faßt man den Genitiv der Konstruktusverbindung כְּלוּב קַיִץ als einen Genitiv der Spezies oder des Zwecks auf, gelangt man zur Übersetzung "Erntekorb"; Beispiele für vergleichbare Bildungen bei GESENIUS-KAUTZSCH 1896: § 128,2f.q. Die theoretisch auch mögliche Übersetzung "Obstkorb", die offen läßt, ob man sich den Korb gefüllt oder leer vorstellen soll, ist wegen des folgenden Gotteswortes בָּא הַקֵּץ "gekommen ist das Ende/die Ernte" auszuschließen.

58 Die Kommentare bieten für קַיִץ "Herbstfrüchte", "reifes Obst", "Sommerfrüchte", "Obst" oder "Sommerobst"; vgl. KOCH und MITARBEITER 1976: 212, und gehen damit an Bild und Inhalt von Am 8,1f. vorbei. Ausschlaggebend dürfte für sie Jer 24,1 mit דּוּדָאֵי תְאֵנִים "Feigenkörbe" sein, und an dieser Stelle ist der Genitiv der Konstruktus-Verbindung in der Tat als Genitiv des Inhalts aufzufassen.

59 Nur bei diesem Textverständnis ergibt sich zwischen Bild und Jahwe-Wort ein paronomastisches Wortspiel, dessen Geschliffenheit und Ausdruckskraft auch die Nachgeschichte des Wortes erklären kann; dazu SMEND 1981.

II

Deutlich dürfte geworden sein, daß sowohl Amos als auch der Gott, der durch ihn spricht und Visionen vor seinen Augen entstehen läßt, gleichermaßen Erfahrungen und Bilder des bäuerlichen Lebens gebrauchen. Es ist das bäuerliche Milieu, das einen Großteil der Metaphern, Gleichnisse, Redewendungen und Vorstellungen im Amosbuch geprägt hat. Damit ist das Amosbuch kein Sonderfall unter den alttestamentlichen Büchern. In allen Teilen des Alten Testaments spürt man mehr oder weniger stark, daß es sich dabei um ein Literaturwerk handelt, das in einer agrarisch strukturierten Gesellschaft entstanden ist. Das Amosbuch ist nur ein besonders eindrückliches Beispiel für diesen Sachverhalt.

Mit welchen Bildern lassen sich derartige Texte begreifen und auslegen? Über die beiden allgemein bekannten Forderungen hinaus, daß aufeinander bezogene Bilder und Texte sich zeitlich und räumlich möglichst nahe stehen sollen, möchte ich als dritte Forderung an das Milieu erinnern. Es ist der Löwe aus der Wüste, dem Amos ins Maul schaut, nicht der in den Rang eines apotropäischen Symbols erhobene Löwe des Städters[60]. Es fällt schwer, annähernd zeitgenössisches Bildmaterial aus der Umwelt des Amos zu finden, das aus dem Bauernmilieu stammt. Die Mehrheit der uns verfügbaren Bildträger kommt aus dem gehobenen Stadtmilieu, aus Palästen, aus Tempeln, aus reichen Wohn- und Grabkontexten. Sie eignen sich bestens dazu, die Verhältnisse zu illustrieren, gegen die sich die Kritik des Amos richtet. Einen anderen Weg wird man aber da einschlagen müssen, wo es sich um Bilder aus der Welt des Bauern handelt. Zur Not kann man auf ägyptische Grabmalereien ausweichen, die Szenen aus der bäuerlichen Arbeitswelt abbilden; doch stehen sie dem Entstehungsland und oft auch der Entstehungszeit des Alten Testaments recht fern. Hinzu kommt die Andersartigkeit der ägyptischen Landwirtschaft, die sich mit ihrer Oasenbewirt-

60 In einer agrarisch strukturierten Gesellschaft, wie es Juda und Israel während der Eisenzeit waren, verläuft der Gegensatz wohl weniger zwischen Stadt und Dorf als vielmehr zwischen Hauptstadt und städtischen Zentren auf der einen und Landstädten und Dörfern auf der anderen Seite; dazu DE GEUS 1984: 137-145.

schaftung grundlegend vom palästinischen Regenfeldbau unterscheidet. Bedenken muß man ferner, daß uns auf den Grabmalereien oder in den kleinen Grabfiguren keine Bauern im Sinne des Alten Testaments begegnen, sondern Diener, die stellvertretend für den verstorbenen Grabbesitzer zur Arbeit angetreten sind. Deshalb möchte ich zu erwägen geben, ob es nicht sinnvoll sein könnte, zur Illustration alttestamentlicher Texte aus dem Bauernmilieu solche Darstellungen zu verwenden, die palästinische Bauern mit ihren traditionellen Arbeitsgeräten zeigen. Der geographische und milieuhafte Bezug zwischen Text und Bild bliebe dabei bewahrt, und die zeitliche Kluft zwischen derartigen Bildern und dem alttestamentlichen Text dürfte weniger tief sein, als sie uns in absoluten Zahlen ausgedrückt erscheint. Man kann sich bisweilen des Eindrucks kaum erwehren, als habe die Zeit an manchen abgelegenen Orten des Landes über weite Strecken hinweg einfach stillgestanden. Was von der Zeit noch verschont blieb oder in Photographien und Büchern konserviert vorliegt, sollten wir nutzen.

LITERATURVERZEICHNIS

AHLSTRÖM, W.G.
1978 Wine Presses and Cup-Marks of the Jenin-Megiddo Survey. BASOR 231: 19-49.

AMIRAN, R.
1976 The Lion Statue and the Libation Tray from Tell Beit Mirsim. BASOR 222: 29-40.

BOTTERWECK, G.J.
1972 Gott und Mensch in den alttestamentlichen Löwenbildern. S. 117-128 in: Wort, Lied und Gottesspruch: Beiträge zu Psalmen und Propheten, Festschrift für J. Ziegler. Forschung zur Bibel 2; Würzburg.

CANAAN, T.
1929 Dämonenglaube im Lande der Bibel. Morgenland 218; Leipzig.

CRAIGIE, P.
1982 Amos the nōqēd in the Light of Ugaritic. Studies in Religion/Siences Religieuses 11: 29-33.

DALMAN, G.
Arbeit und Sitte in Palästina,
1928 I: Jahresablauf und Tagesablauf, 2.Hälfte: Frühling und Sommer. Gütersloh (Nachdruck: Hildesheim 1964).
1933 III: Von der Ernte zum Mehl: Ernten, Dreschen, Wor-

feln, Sieben, Verwahren, Mahlen. Gütersloh (Nachdruck: Hildesheim 1964).
1935 IV: Brot, Öl und Wein. Gütersloh (Nachdruck: Hildesheim 1964).
1939 VI: Zeltleben, Vieh- und Milchwirtschaft, Jagd, Fischfang. Gütersloh (Nachdruck: Hildesheim 1964).

ERMAN, A.-RANKE, H.
1923 Aegypten und aegyptisches Leben im Altertum. Tübingen.

FELIKS, Y.
1981 Nature and Man in the Bible: Chapters in Biblical Ecology. London-Jerusalem-New York.

FRITZ, V.-KEMPINSKI, A., edd.
1983 Ergebnisse der Ausgrabungen auf der *Ḫirbet el-Mšāš* (*Tēl Maśōś*) 1972-1975, I: Textband, II: Tafelband. ADPV; Wiesbaden.

GALLING, K.
1977 Art. Ackerwirtschaft und Art. Jagd. BRL²: 1-4.150-152.

GARDINER, A.H.-PEET, T.E.
1952/55 The Inscriptions of Sinai. Second Edition Revised and Augmented by J.Černý, Part I: Introductions and Plates. London.

GRADMANN, R.
1934 Palästinas Urlandschaft. ZDPV 57: 161-185.

GERSTER, G.
1961 Sinai: Land der Offenbarung. Frankfurt-Berlin.

GESE, H.
1962 Kleine Beiträge zum Verständnis des Amosbuches. VT 12: 417-424.

GESENIUS, W.-KAUTZSCH, E.
1896 Hebräische Grammatik. Leipzig²⁶.

GEUS, C.H.J. de
1984 De israëlitische stad. Palaestina Antiqua 3; Kampen.

HANČAR, F.
1955 (1956) Das Pferd in prähistorischer und früher historischer Zeit. Wiener Beiträge zur Kulturgeschichte und Linguistik 11.

HEINTZ, J.-G.
1983 Langage métaphorique et représentation symbolique dans le prophetism biblique et son milieu ambiant. S. 55-72 in: Rencontres de l'École du Louvre, II: Image et Signification. Paris.

HITTI, Ph.K.
1964 Memoirs of an Arab-Syrian Gentleman or An Arab Knight in the Crusades, Memoirs of Usāmah Ibn-Mundiqh (Kitāb al-I'tibār), Translated from the Unique Manuscript. Beirut.

HUBMANN, F.D.
1978 Untersuchungen zu den Konfessionen Jer 11,18-12,6 und Jer 15,10-21. Forschung zur Bibel; Würzburg.

HUGGER, P.
1982 Das trauernde Land, der schreiende Stein: Die gegenwärtige Naturkrise und das Zwölfprophetenbuch. S. 301-313 in: RUPPERT, L.-WEIMAR, P.-ZENGER, E., edd., Künder des Wortes: Beiträge zur Theologie der Propheten, J.Schreiner zum 60. Geburtstag. Würzburg.

JANOWSKI, B.
1984 Rettungsgewißheit und Epiphanie des Heils: Das Motiv der Hilfe Gottes "am Morgen" im Alten Orient und im Alten Testament. Habil.-Schrift der Ev.-Theol. Fakultät Tübingen. Tübingen.

KAPELRUD, A.S.
1961 Central Ideas in Amos. Oslo [1956].

KEEL, O.
1978 Jahwes Entgegnung an Ijob: Eine Deutung von Ijob 38-41 vor dem Hintergrund zeitgenössischer Bildkunst. FRLANT 121; Göttingen 1978.
1980 Das Böcklein in der Milch seiner Mutter und Verwandtes im Lichte eines altorientalischen Bildmotivs. OBO 33; Freiburg/Schweiz-Göttingen.

KOCH, K.
1978 Die Profeten, I: Assyrische Zeit. Urban-Taschenbuch 280; Stuttgart-Berlin-Köln-Mainz.

KOCH, K. und MITARBEITER
1976 Amos, untersucht mit den Methoden einer strukturalen Formgeschichte, 1: Programm und Analyse. AOAT 30; Neukirchen-Vluyn.

LANG, B.
1982 The Social Organization of Peasant Poverty in Biblical Israel. JSOT 24: 47-63.

MARTI, K.
1904 Das Dodekapropheton. KHC XIII; Tübingen.

MEYERS, E.M.
1978 Art. Shema^c Khirbet. S. 1094-1097 in: AVI-YONAH, M.-STERN, E., edd., Encyclopedia of Archaeological Excavations in the Holy Land, IV. Jerusalem.

MEYERS, E.M.-KRAABEL, A.T.-STRANGE, J.F.
1976 Ancient Synagogue Excavations at Khirbet Shema^c, Upper Galilee, Israel 1970-1972. AASOR 42; Durham, North Carolina.

MITTMANN, S.
1976 Amos 3,12-15 und das Bett der Samarier. ZDPV 92: 149-167.

PFEIFER, G.
1976 Denkformanalyse als exegetische Methode, erklärt an Amos 1_2- 2_{16}. ZAW 88: 56-71.
1981 Amos und Deuterojesaja denkformanalytisch verglichen. ZAW 93: 439-443.
1984 Die Ausweisung eines lästigen Ausländers Amos 7_{10-17}. ZAW 96: 112-118.

PRITCHARD, J.B.
1969 The Ancient Near East in Pictures Relating to the Old Testament. Princeton, NJ^2.

READE, J.
1976 Assyrian Hunting Scenes: 12 Colour slides with a commentary. British Museum Publications; London.

REVENTLOW, H. Graf
1962 Das Amt des Propheten bei Amos. FRLANT 80; Göttingen.

SCHOTTROFF, W.
1979 Der Prophet Amos: Versuch der Würdigung seines Auftretens unter sozialgeschichtlichem Aspekt. S. 39-66 in: Ders.-STEGEMANN, W., edd., Der Gott der kleinen Leute. Sozialgeschichtliche Bibelauslegung 1; Mün-

chen-Gelnhausen.
SCHULT, H.
1971 Amos 7,15a und die Legitimation des Außenseiters. S. 462-478 in: WOLFF, H.W., ed., Probleme biblischer Theologie, G. von Rad zum 70. Geburtstag. München.
SMEND, R.
1981 "Das Ende ist gekommen". Ein Amoswort in der Priesterschrift. S. 67-72 in: JEREMIAS, J.-PERLITT, L., edd., Die Botschaft und die Boten, Festschrift für H.W.Wolff zum 70. Geburtstag. Neukirchen-Vluyn.
STOEBE, H.J.
1957 Der Prophet Amos und sein bürgerlicher Beruf. WuD NF 5: 160-181.
1970 Überlegungen zu den geistlichen Voraussetzungen der Prophetie des Amos. S. 209-225 in: Ders., ed., Wort - Gebot - Glaube: Beiträge zur Theologie des Alten Testaments, W.Eichrodt zum 80. Geburtstag. AThANT 59; Zürich.
STROMMENGER, E.
1962 Fünf Jahrtausende Mesopotamien: Die Kunst von den Anfängen um 5000 v.Chr. bis Alexander dem Großen. München.
WATTS, J.D.
1958 Vision and Prophecy in Amos. Leiden.
WEIMAR, P.
1981 Der Schluß des Amos-Buches. BN 16: 60-100.
WEIPPERT, H.
1977 Art. Dreschen und Worfeln. BRL[2]: 63f.
1981 Schöpfer des Himmels und der Erde: Ein Beitrag zur Theologie des Jeremiabuches. SBS 102; Stuttgart.
WEIPPERT, M.
1977 Art. Kalender und Zeitrechnung. BRL[2]: 165-168.
WELLHAUSEN, J.
1898 Die kleinen Propheten übersetzt und erklärt. (Zitiert nach dem Nachdruck der 3. Auflage: Berlin[4].)
WOLFF, H.W.
1964 Amos' geistige Heimat. WMANT 18; Neukirchen-Vluyn.
1969 Dodekapropheton, 2: Joel und Amos. BK XIV 2; Neukirchen-Vluyn.
1984 "So sprach Jahwe zu mir als die Hand mich packte". Was haben die Propheten erfahren? S. 9-21 in: BÖHME, W., ed., Träume - Visionen - Offenbarung: Über Gottesoffenbarung. Herrenalber Texte 51; Karlsruhe.
WÜRTHWEIN, E.
1970 Kultpolemik oder Kultbescheid? Beobachtungen zu dem Thema "Prophetie und Kult". S. 144-160 in: Ders., Wort und Existenz: Studien zum Alten Testament. Göttingen.
ZOHARY, M.
1982 Vegetation of Israel and Adjacent Areas. TAVOB A/7; Wiesbaden.
1983 Pflanzen in der Bibel: Vollständiges Handbuch. Stuttgart.

HELGA WEIPPERT

Die Verwendung der Bildmotive in der Prophetie Zefanjas

I

Bei der Beschäftigung mit Zefanja fiel mir auf, in welch hohem Maß der Prophet satirische Redeformen verwendet[1]. Der Tradition eingeprägt hat er sich bekanntermaßen durch zwei Wortschöpfungen, durch die Sequenz: *dies irae dies illa*[2] und durch das Bildwort von dem die Jerusalemer mit der Lampe heimsuchenden Gott, wenngleich die Laterne in der mittelalterlichen Ikonographie schließlich an Zefanja selbst als Requisit hängen geblieben ist[3]. Beide Reminiszensen bewahren - obwohl verdeckt - noch die ursprünglich satirische Intention. Die düstere Litanei möchte allen allzu optimistischen Zukunftserwartungen entgegentreten. Die Vermutung liegt nicht fern, der Prophet habe mit ihr den euphorischen Hoffnungen der Josiazeit ins Gesicht

1 Da ich eine Studie zu Zefanja plane, kann ich im einzelnen darauf verweisen. Doch sei vorausgeschickt, auf welchen Annahmen dieser Beitrag basiert:
1. Es ist anzunehmen, daß die Prophetie des Zefanja - wie sie im Buch überliefert ist - ursprünglich aus Einzellogien bestand, die kurz und bündig und von aphoristischer Prägnanz waren. Darin ist den literarkritischen Analysen, die zuletzt IRSIGLER 1977 und LANGOHR 1976a.b vorgelegt haben, zu folgen. Das rahmende Formelwerk läßt etwa 15 Einzelsprüche mit einiger Verläßlichkeit erkennen. Es sind dies: 1,2; 1,7*; 1,8f.; 1,10f.; 1,12f.17f.; 1,14-16; 2,1-2a; 2,4; 2,5f.*; 2,9*; 2,12; 2,13f.*; 3,1.3; 3,6; 3,8a.9a.10*(?).
2. Die Herausgabe des Buches geschah durch eine deuteronomistische Redaktion in frühexilischer Zeit, welche die Sammlung als Dokumentation für die prophetische Ankündigung der Exilskatastrophe betrachtete und entsprechend aufbereitete. Spätere redaktionelle Ergänzungen und Glossierungen kamen hinzu.
Im folgenden werden nur die mit einiger Wahrscheinlichkeit authentischen Logien untersucht.

2 Bekannt aus der Totenmesse des *Missale Romanum*, von GOETHE in den "Faust" aufgenommen. Zur Diskussion um die Entstehung der Dichtung vgl. KULP 1933: 256ff.; RUDOLPH 1975: 269; IRSIGLER 1977: 310.

3 Dazu KIRSCHBAUM 1972: 181f.; WELLHAUSEN 1898: 152, "ein anderer Diogenes".

schlagen wollen, indem er ihre Parolen grausam parodierte. Die Vorstellung, Jahwe selbst suche mit dem Leuchter in der Hand die Vorratskeller auf, um den jungen Wein zu prüfen, scheint grotesk, offenbar grotesk auch schon für den antiken Menschen; sonst wären die alten Übersetzungen nicht dem Bild ausgewichen[4]. Doch des Satirischen gibt es noch mehr bei Zefanja und nicht nur an diesen zwei bekanntesten Stellen. Auf das ironische Wortspiel in der Anrede an die Stadt Jerusalem wurde gelegentlich schon hingewiesen[5]. Man könnte die Anrede (3,1) mit der Septuaginta wohlmeinend hören und etwa so übersetzen: "gottesfürchtig (oder: herrlich) und erlöst, die Stadt, (gleich wie) die Taube", wenn nicht das negative Vorzeichen הוֹי "wehe!" und die spürbar pathetische Übertreibung eine andere sprachliche Möglichkeit realisieren ließe: "Wehe! Verschmutzt (oder: verfettet) und verunreinigt, die gewalttätige Stadt!" Das Bild von der Ruine Ninives schließlich (2,14) spricht für sich selbst: "Das 'Käuzchen' singt im Fenster, der 'Rabe' auf der Schwelle" (es folgt ein כִּי *recitativum*): אַרְזָה עֵרָה, so nach MT, welches Gekrächz nach W.RUDOLPH[7] als "ich mache gering" und "er (man) hat entblößt" in menschliche Sprache zu übersetzen ist[8].

Damit sind wir beim Thema[9]. Denn der satirischen Rede ent-

4 LXX und Syr übersetzen singularisch; sie denken offenbar an eine göttliche Wunderlampe. Targ: "Ich werde Untersucher anstellen, die werden Jerusalem untersuchen."
5 EHRLICH 1912: 314; JONGELING 1971: 541ff.
6 S.u. III.4.
7 "Nun hat der ערב (Rabe) seinen Namen daher, daß er *grā*, hebräisch geschrieben: ערה ..., macht, dann muß auch *rsā* ... der klagende Summlaut eines Vogels sein, mit anderen Worten: Die beiden Wörter sind Vogellaute (כי recitativum), die dann V. 15 in 'menschliche' Sprache übersetzt werden, die aber selbst schon bei richtiger Vokalisierung menschlich und für die Situation zutreffend zu deuten sind ..." (RUDOLPH 1975: 279).
8 S.u. III.5.
9 In der Auslegung wurde dieser Zug zum Satirischen schon verschiedentlich, aber mehr beiläufig beachtet. GERLEMAN 1942: 24, nennt z.B. 2,2 "ein starkes Bild von dem illusionslosen, von Zynismus nicht freien Blick Zephanjas", 3,1ff. "ein Zerrbild des Rechts" (*ibid.*: 61); SCHARBERT 1967: 31, spricht im Blick auf 1,7; 1,14ff. von einer "Gegenliturgie"; IRSIGLER 1977 benutzt mehrmals den Begriff "Ironie" (u.a. 114.250.297. 315.318.390), dann "Verfremdung (*ibid.*: 294), "Metalogismus" (*ibid.*: 249f.); auch er spricht von "einem guten Schuß Zynismus" (*ibid.*: 254 zu 1,12f.), JONGELING 1971: 543, von "ironie tranchante", usw. Auffällig

spricht auf der Ebene der Bildverwendung die Karikatur. Und so möchte ich vorweg die These formulieren: Zefanjas Sprachbilder sind zumeist Karikaturen, oder vorsichtiger: Sie haben die Funktion von Karikaturen. Doch hierzu sind zuerst einige grundsätzliche Überlegungen erforderlich[10].

II

Wir haben es hier mit literarischen Texten zu tun, mit poetischen Gestaltungen eines Propheten. Insofern sind die Bildmotive, die wir untersuchen wollen, ihrem Wesen nach literarisch, somit sprachliche Gebilde, rhetorische Figuren und also Teil der Textstruktur. Dafür ist die Stilistik[11] zuständig, welche die Semantik und Syntax kombiniert. Die Semantik schafft die Voraussetzungen für die Erkenntnis des Bildbereichs, dem ein Wort oder Ausdruck zugehört[12]. Hier ergeben sich viele Möglichkeiten der Anschauung und Vorstellung, vor allem aus der ikonographisch vermittelten Welt der Antike. Auf der Grundlage der syntaktischen Organisation eines Textes sucht die Stilistik die spezielle Verwendungsweise eines Wortes oder Ausdrucks auszumachen, also seine Funktion etwa als Vergleich, Metapher, Illustration zu erkennen. Auf dieser Ebene müßte die Zefanja eigentümliche Bildprägung und Bildverwendung greifbar sein. Ich gebrauche den Begriff 'Karikatur' in diesem Zusammenhang für ein Phänomen, das ich vorerst nicht anders zu bezeichnen weiß. Es kann sich dabei zunächst selbst nur um eine Metapher handeln. Denn 'Karikatur' ist eine Kategorie der darstellenden Kunst. Doch als Metapher für eine Erscheinung der literarischen

und in gewissem Sinn charakteristisch sind auch einige Titel aus der Literatur zu Zefanja, z.B. "Das Ende der 'Abendwölfe'", "Der Schlachttag Jahwes", "Die Schwellenhüpfer", "The African Roots of the Prophet", "Sophonie ou L'erreur de Dieu" u.a. Offenbar fällt es im Blick auf das Buch und seine Auslegungsgeschichte schwer, keine Satire zu schreiben.

10 Grundlegend sind die Ausführungen zu "Bild, Metapher, Symbol, Mythos" von WELLEK-WARREN 1963: 163-188.20.78f.109f., und über "Bilder" von ALONSO-SCHÖKEL 1971: 307-363.

11 Ich lehne mich an die textlinguistische Stiltheorie an, die SPILLNER 1974 entwickelt hat. Danach hat die Stilanalyse nach Erscheinungen der Kongruenz und des Kontrastes in der sich fortlaufend aufbauenden Textstruktur zu fragen.

12 Außerordentlich hilfreich dazu ist das um alle denkbaren Präzisierungen bemühte HAL[3].

und rhetorischen Darstellung, die sonst nur schwer faßbar ist, hat der Begriff - wie ich meine - seinen Wert.

Sucht man grob und provisorisch zu bestimmen, wodurch sich eine Karikatur auszeichnet, kommt man auf folgende Charakteristika:

1. Die Karikatur übertreibt Eigenheiten und Eigentümlichkeiten wie Schwächen, Auffälligkeiten durch einseitige Überzeichnung, d.i. Verzerrung. Charakteristische Einzelzüge rücken ins Zentrum des Blickfelds.
2. Die Karikatur verändert und verfremdet Vorstellungen durch Konfrontation, Vergleich, Vermischung, Identifikation mit Bildvorstellungen aus einem anderen Herkunftsbereich und arbeitet gern mit Übertragungen und Assoziationen.
3. Die Karikatur gibt der Lächerlichkeit preis, verspottet, verhöhnt, d.i.: Sie sucht durch überraschenden und treffsicheren Vergleich Schwächen aufzudecken und zu entlarven. Witz und Humor gesellen sich dazu.
4. Die Karikatur dient der Kritik. O.EISSFELDT nannte den alttestamentlichen Spottspruch und damit *implicite* das karikierende Bild eine "furchtbare politische Waffe" von "ungeheurer Macht[13].

Diesen Bestimmungen entspricht die Defintion, die G.VON WILPERT zum Begriff 'Karikatur' gibt: "Karikatur (ital. *caricare* = überladen, -treiben), Zerrbild, das durch Überbetonung einzelner, dennoch erkennbarer Charakterzüge komisch oder satirisch wirkt, dient durch die einseitige Verzerrung neben dem Spott oft auch der Kritik, mit der Absicht, durch Aufdeckung verurteilenswerter Schwächen und Mißstände auf politischem, sozialem oder sittlichem Gebiet zu deren Abstellung anzuregen."[14]

Wenn Zefanjas Bildreden die Funktion der Karikatur haben sollen, müssen sich die genannten Merkmale nachweisen lassen. Auf der Stilebene entsprechen den genannten Aspekten der metaphorischen Karikatur:

1. die besondere Synekdoche, die den Teil für das Ganze, den Einzelzug für das Wesen setzt mit semantischer Überdehnung und Überhöhung;

13 EISSFELDT 1976: 122f.
14 VON WILPERT 1961 (1955): 278.

2. die besondere "Bildspanne"[15] in der metaphorischen Konstellation zwischen "Bildspender" und "Bildempfänger"[16] mit grotesken Dissonanzen und Konvergenzen;
3. die besondere Kontrastwirkung zwischen "Realität" und Vorstellung im Aufbau der semantischen Sinnstruktur des Kontextes mit dem Effekt der Diskrepanz (Komik) und Disproportion (Groteske);
4. die besondere Emotionalität der appellativen Rede mit der Tendenz zur Wertung und Verurteilung.

Betrachten wir nun die Bildmotive im einzelnen.

III

1.

"... und ich suche heim die Minister
und alle 'Königlichen'
und alle, die fremde Kleidung tragen;
und ich suche heim jeden, der über die Schwelle hüpft!" (1,8f.)

Zefanja nennt 1,8f. - um damit zu beginnen - Kreise am Jerusalemer Hof, die offenbar Jahwes Kontrolle und Revision (פקד) befürchten müssen: die Minister[17], die "Söhne des Königs"[18] - offenbar ein Ausdruck für die Polizei -, diejenigen, die ausländische Kleider tragen, und überhaupt jeden, "der über die Schwelle hüpft". H.DONNER hat die Herkunft und Bedeutung dieser Vorstellung geklärt[19]. Sie geht auf einen abergläubischen Brauch zurück, Türschwellen als potentiellen Sitz von Dämonen oder Numina nicht zu betreten. Zefanja greift auf diese Vorstellung zurück, um damit die Hofgesellschaft seiner Zeit zu charakterisieren. Wen immer der Prophet konkret meint, die Etikette-bewußten Diplomaten und Höflinge oder assyrisierenden Modeträger an Hof und Heiligtum oder gar alle zusammen - wie

15 Der Begriff stammt von WEINRICH 1966 und bezieht sich auf das Verhältnis der an der Metapher beteiligten Bildebenen.
16 Begriffe nach MÜLLER 1984.
17 Nach RÜTERSWÖRDEN 1981: 42-133, bezeichnet שָׂרִים im St.abs.pl. während der Königszeit den (kleinen) Kreis der höchsten Beamten, etwa die Minister.
18 Der Ausdruck "Söhne des Königs" ist nach DE VAUX 1960: 194f., und vor allem BRIN 1969 offizieller Titel der Hof- und Staatspolizei - mit oder ohne verwandtschaftlichen Beziehungen zum Königshaus.
19 DONNER 1970. Zur Diskussion IRSIGLER 1977: 35ff.

die besondere Art und Weise der Aufzählung nahelegt[20] -, er zeichnet eine Karikatur. Und zwar karikiert er dadurch, daß er (1) ein beiläufiges, aber allen gemeinsames Merkmal als für das Verhalten im ganzen symptomatisch und entscheidend wichtig herausstellt; daß er (2) die Betroffenen alle mit Hüpfern oder Tänzern identifiziert, durch diese Verkleidung - so möchte man meinen - (3) lächerlich macht[21] und jedenfalls (4) sie mit dieser offensichtlichen Schwäche der Kritik[22] aussetzt. Bei diesem Beispiel scheinen alle vier Kriterien aufweisbar zu sein, was natürlich nicht immer der Fall sein kann.

2.

> "Ihre Minister sind brüllende Löwen, ihre Richter Steppenwölfe"[23] (3,3).

Die Identifikation, durch den Nominalsatz realisiert, charakterisiert - so wenig originell sie vor allem im ersten Teil sein mag - durch Überzeichnung, und zwar im buchstäblichen Sinn. Über die genannten Personen werden Tierbilder gelegt, wodurch sie gleichsam in die wilden Bestien selber verwandelt werden. Eine ihnen und den genannten Tieren gemeinsame Eigenschaft wird hervorgehoben und in den Mittelpunkt gestellt: Raublust und Blutgier. Die beigefügte Glosse[24] hat zwar den Begriff "arabische" Wölfe[25] nicht verstanden (*lupi vespere*, "Abendwölfe"), vielleicht aber den Witz, der in der grotesken Gleichsetzung liegt, indem sie erklärt: "Abendwölfe" heißt: "Sie lassen nichts übrig für den Morgen"[26]. Die kritische Komponente versteht sich auch hier von selbst. Ein öffentliches Wort dieser Art ist weit mehr als eine Verbalinjurie.

20 Zum generalisierenden Effekt von -כָּל mit Ptz. in aufzählender Folge vgl. IRSIGLER 1977: 234f.

21 Auch auf die philistäischen "Schwellenhüpfer", die Priester Dagons von Asdod wirft die Ladeerzählung mit ihrer ätiologischen Erklärung des Brauchs in 1.Sam 5,5 einen spöttischen Blick.

22 Die Kritik besteht weniger in dem moralischen Vorwurf von Unterdrückung und Betrug, den der wohl deuteronomistische Zusatz V. 9b formuliert, als in dem Vorwurf der Fremdorientierung des Jerusalemer Hofs.

23 MT: זְאֵבֵי עֶרֶב "Abendwölfe", LXX: λύκοι τῆς Ἀραβίας. Dazu ELLIGER 1950 und BOTTERWECK 1977.

24 Vgl. die Kommentare.

25 ערב II, HAL³: 831f.

26 Übersetzt nach LXX; MT: גרם-גָּרְמוּ "abnagen" (HAL³: 195) bringt Schwierigkeiten mit sich; vielleicht verschrieben aus גמר "vollenden, zu Ende bringen" (so LXX).

3.

"Ich durchleuchte Jerusalem mit Lampen
und suche die Herren heim,
und die auf ihren Hefen vergären
(die in ihrem Herzen sagen: Nichts Gutes tut Jahwe
und nichts Böses!); ...
und ich mache diesen Menschen Angst,
daß sie tappen wie die Blinden!
Ausgeschüttet wird ihr Blut wie Staub
und ihr Körpersaft wie Kot!" (1,12f.17)

Ähnlich zu beurteilen ist die bekannte Wein-Metapher 1,12, durch welche die Jerusalemer Altstadtbewohner mit dem nicht abgeschöpften Wein, also offenbar mit Essig gleichgesetzt und so karikiert werden. Sie, die "eindicken auf ihren Hefen"[27] in den Weinkellern. Ein wichtiger Wesenszug, die innere und äußere Erstarrung und Unbeweglichkeit[28] ist herausgegriffen und in den Vordergrund gestellt, alles andere überdeckend und aufsaugend, um im Bild zu bleiben - die "Herren" sind vermögend, darum behäbig (1,13). Dieser Zug wird durch das Bildwort vom eindickenden Wein, das aus einer anderen Lebens- und Sprachebene genommen ist, ironisch verfremdet. Der Zusammenstoß der beiden Sinnwelten, die ohnehin miteinander in Berührung stehen - Reichtum und Weinherstellung, auf der neuen Ebene dieser Metapher hat vermutlich den Effekt eines Witzes. Hat schon die Anspielung auf Wein und Weinessig einen humorigen Hintersinn, wird dieser Eindruck durch die Vorstellung der Hefen[29] als Ruhekissen wohl noch verstärkt. Daß der Witz sarkastisch gemeint ist, offenbart die Fortsetzung des Bildworts (1,17f.)[30]. Wird doch dort angekündigt, daß der "Weinessig" gewaltsam verschüttet wird, indem Blut[31] und Lebenssaft[32] der betroffenen Men-

27 קפא eigentlich "gerinnen", nach WELLHAUSEN 1898: 152, ein "originelles Bild".
28 Bei der Herstellung muß der Wein verschiedene Male abgeschöpft und umgegossen werden (vgl. Jer 48,11.12).
29 Liegt wiederum ein Wortspiel mit שֶׁמֶר * "Hefe" und שמר "bewahren, konservieren" vor?
30 Mit SCHARBERT 1982: 240, ist 1,17f. als Fortsetzung von 1,13a anzusehen, aber nicht als Teil eines Komplexes, der Vv. 2-5.8-13.17-18 umfaßt. 1,14-16 sind ein redaktionell eingelegtes Stück, das den thematischen Kern von Kapitel 1 abgibt; 1,13b ist ein Füllsel in der Lücke.
31 Kontext wie Parallelismus lassen erwägen, ob Zefanja nicht ursprünglich noch drastischer vom Ausschütten des Blutes "wie Urin" gesprochen hat: statt כֶּעָפָר "wie Staub" כְּפֶרֶשׁ ?
32 Von לַחַ * "Lebenssaft" abzuleiten, לְחוּם * wäre "Fleisch, Körper" (vgl.

schen in der durch Jahwe herbeigeführten Panik "wie Dreck und Kot" vergossen wird. Man kann sich des Eindrucks nicht ganz erwehren, daß der sarkastischen Kritik an dem verdorbenen Wein auch ein Schuß Zynismus beigemengt ist. Eine bitterböse Satire auf die reichen Bürger mit einer karikierenden Bildrede als Kern!

4.

Das eingangs schon zitierte Bildwort im Weheruf gegen Jerusalem 3,1 ist von besonderer Art. Es vereinigt zwei Ansichten Jerusalems in sich. Jerusalem wird zugleich als eine hehre und reine und friedliche und als eine schmutzige und befleckte und gewalttätige Stadt mit ein- und denselben Worten gezeichnet[33]. Welche Ansicht zu wählen ist, hängt vom Standpunkt des Betrachters ab. Durch das vorgesetzte "Wehe" zeigt der Prophet, wo er selbst steht. Durch das Wehe wird aber zudem noch eine dritte, wahrhaft triste Möglichkeit angedeutet. So lebt das Wort aus der Mehrdeutigkeit der Formulierung, die jedoch eindeutig determiniert ist. Jede Lesung offenbart nur eine Seite der Wirklichkeit und muß mit der anderen synchron oder diachron aufgenommen werden. Diese Art Sprachspiel wäre mit B. JONGELING ironisch zu nennen[34]. Karikierende Züge trägt der Spruch infolge der stark begrenzenden Auswahl der Aspekte, für eine Stadt eine bemerkenswerte Beurteilung: Schönheit - Reinheit - Friedfertigkeit[35] bzw. das Gegenteil. Karikierenden

HAL[3]: 499).

33 Sprachlich sieht das folgendermaßen aus:
מֹרְאָה = < ראה "sehen" (ἐπιφανής, *illustris*) oder < מרא I (רְאִי "Kot")
< ירא "fürchten" < מרא III "fett werden"
< מרה "widerspenstig sein" (HAL[3]: 595f.)
נִגְאָלָה = < גאל I "aus-, erlösen" oder < גאל II nif. "unrein werden" (HAL[3]: 162)
הַיּוֹנָה = < יוֹנָה "Taube" oder < ינה "gewalttätig sein" (HAL[3]: 398)

34 JONGELING 1971: 543, "ironie tranchante"; vgl. EHRLICH 1912: 314, "... sonst Ehrennamen Jerusalems, ist hier ironisch gebraucht".

35 Der Sinn des Symbols der Taube für Jerusalem ist nicht ganz deutlich. Ist hier wie anderswo (vgl. KEEL 1977) an die Funktion der Taube als Siegesbotin gedacht oder ist in diesem Kontext - *e contrario* ינה "gewalttätig sein, bedrücken" - eher die Sanftheit und Lauterkeit (ἀκέραιος Mt 10,16) gemeint? Vgl. VON SODEN-BOTTERWECK 1982.

Effekt erhält es auch durch die in Kauf zu nehmende - nicht alle Ausdrücke eignen sich für ein solches Spiel - Unbeholfenheit der Formulierung, die fast etwas kalauerhaft wirkt:

> "Wehe! Verschmutzt und befleckt, Stadt der Gewalt!
> - Herrlich und erlöst, Taube unter den Städten!"

Die Kritik ist impliziert.

5.

Schwer faßbar ist im allgemeinen der oben unter (3) aufgeführte Aspekt des Lächerlichmachens, der Verspottung oder Verhöhnung. Daß Zefanja sehr stark Emotionen anspricht, ist schon verschiedentlich herausgearbeitet worden. Vor allem im Blick auf die emphatischen Logienanfänge[36] gilt dies wie auch für die eingesetzten "expressiven" rhetorischen Mittel[37] überhaupt, aber auch für das ganze theatralische Instrumentarium der parodistischen Darstellung, über die noch zu reden sein wird. Welche Wirkung geht denn nun - so fragen wir, indem wir nicht nur uns selbst, sondern den Text prüfen - etwa aus von einer Bildrede wie der Vogelszene[38] im Niniveorakel 2,14? Da sind die expressiven Werte zu beachten. "Schwelle" und "Fenster" suggerieren die Vorstellung einer Villa oder eines Palastes. חַלּוֹן "Wandloch f. Luft u. Licht, Fenster(öffnung)" läßt an das "'Erscheinungsfenster' im Königspalast"[39] denken (nach 2.Kön 9,30.32; Jer 22,14) und an den unter dem Titel "Frau im Fenster" diskutierten Sachkomplex. Tatsächlich erscheint ja auch jemand im Fenster. Der MT liest "eine Stimme", welche Tautologie wohl zurecht zu "Eule, Käuzchen" zu korrigieren ist[40]. Auf der Schwelle erscheint indes ein "Rabe"[41]. Beide beginnen, Musik zu

36 Die Spruchanfänge sind bei Zefanja von besonderer Prägung: zweimal Paronomasie (1,2; 2,1); mehrmals direkter Anruf mit קוֹל (1,10), הַס (1,7), הוֹי (2,5; 3,1), Imperativ (2,1); Anfang im Ich-Stil (1,2; 1,8; 1,12; [1,17]; 3,6); כִּי an exponierter Stelle (1,7; 1,11; 2,4; 2,14; 3,8) - Zeichen starker Emphase.

37 Umfassend von IRSIGLER 1977 herausgearbeitet.

38 Die Identifikation der Tiere in 2,14 ist mit Unsicherheiten belastet. קָאַת "Ohreule" oder "Dohle" (früher auch "Kropfgans" oder "Pelikan", vgl. HAL^3: 991); קִפֹּד "kurzohrige Eule" (andere: "Trappe, Rohrdommel", erwogen wird auch: "Igel" oder "Stachelschwein", vgl. HAL^3: 1043).

39 Zitate HAL^3: 305.

40 קוֹל zu כּוֹס.

machen[42]. Dies wirkt sicherlich überraschend, versetzt den Hörer in eine andere Welt, in die Welt der Fabel, die in die Welt der Ruinenstadt hinein inszeniert wird. Er tritt in die Welt der Vögel ein. Er hört und versteht den Gesang der Vögel[43]. Gleichsam als Vogel behandelt und in einen Vogel verwandelt muß er auf das Groteske der Situation aufmerksam werden[44]. Der Jerusalemer Hörer könnte über dieses Witzbild Assurs oder Ninives lächeln. Der mit 2,15 beigefügte Vers möchte jedoch zu einer anderen Reaktion anleiten. Das Buch bietet wenigstens dieses eine Beispiel einer Reaktion auf eine Zefanja-Karikatur, obwohl der Prophet wohl etwas eigenwillig interpretiert wird:

> "Dies war die übermütige Stadt, die so sicher wohnte, die zu sich selbst sagte: Ich und niemand sonst! Wie ist sie zur Einöde geworden, ein Lager der Tiere! Jeder, der an ihr vorbeikommt, pfeift und schüttelt die Faust."

Zwar bewirkt der Anblick der Ruinenstadt wie ihr Abbild kein Lächeln; doch ruft er blankes Entsetzen hervor, das sich in apotropäischen Gesten äußert[45]. Das scheint der Vers - sofern er Zusatz ist - richtig begriffen zu haben: Zefanjas Karikaturen wollen nicht nur Spott, sie sollen auch Entsetzen verbreiten.

6.

Mit den Stilmitteln der Übertreibung und Verzerrung arbeitet Zefanja auch an anderen Stellen[46], die keinen ausgeprägten Bildgehalt zeigen, etwa, wenn er die reichen Händler, wohl vor allem Bewohner der Neustadt und der Vororte auf den Hügeln, als "Volk Kanaans" apostrophiert (1,11) oder wenn er die Küstenbewohner als "Volk der Kreter" anspricht, dessen Territorium

41 MT: חֹרֶב "Dürre, Hitze" ist ziemlich sinnlos, wohl verschrieben oder verhört aus עֹרֵב "Rabe".
42 יְשׁוֹרֵר pil., im chronistischen Werk Fachausdruck der Instrumentalmusik, vorexilisch offenbar nur Zef 2,14 belegt.
43 Zum Motiv: Raben als "sprechende Vögel" vgl. TOYNBEE 1983: 262ff.
44 Man wird stark an die altägyptischen Tierfabeln erinnert, vgl. BRUNNER-TRAUT 1968 und 1974: 12ff.
45 Ein verbreiteter Topos im deuteronomistischen Schrifttum, vgl. Jer 18, 16; 19,8; Ez 27,36; Thr 2,15f.; 1.Kön 9,8 dazu Jes 47,8: "rites magiques pour chasser les mauvais esprits" (KELLER 1974: 204).
46 Zum einzelnen vgl. meine Studie.

alsbald - wie er im Sprachspiel[47] andeutet - zu כְּרֹת "Weidegründen der Hirten" werden soll (2,5f.). Überhaupt qualifiziert er gern Völker oder soziale Schichten durch einen für sie (und für ihn) bezeichnenden Zug, den er meist aus einem Wortspiel gewinnt. Die einen "wägen Silber dar" (1,11)[48], die andern vermögen nicht, "Silber zu (Münzen) zu schlagen" (2,1)[49]. Letztere leben von קשׁשׁ, vom Aufsammeln von Stroh und Holz (2,1)[50]; andere erstarren auf ihren Weinhefen (1,12). Man hat auch hier den Eindruck, daß es witzige Etiketten sind, mit denen er die Gruppen versieht. Daß diese Apostrophierungen kritischen Charakter haben, braucht nicht betont zu werden. Von da aus ist nur ein Schritt zum etymologischen Wortspiel, womit er die Philisterstädte aufs Korn nimmt (2,4)[51], offensichtlich unter der Devise *nomen est omen*[52].

Andere Bilder und Vorstellungen sind dem unmittelbaren Lebensraum entnommen und nicht unbedingt originell. Hingegen typisch für Zefanja sind Metaphern, die aus einem solchen Umfeld stammen, das in der Konfrontation mit der bezeichneten Sache groteske Wirkungen erzeugt. Die Bildworte "Brennesselfeld"[53] und "Salzgrube"[54] als Metaphern für den künftigen Status Moabs und der Ammoniter (2,9) - neben den konventionelleren und wohl deuteronomistischen Sodom- und Gomorra-Topoi[55] - sind sicher-

47 כְּרֵתִים → כְּרֹת, besser → כֹּרֹת (כַּר "Trift").
48 "Alle Zahlung war Wägung" (WELLHAUSEN 1898: 152).
49 לֹא נִכְסָף - denom. nif. כֶּסֶף. Die Bezeichnung גּוֹי "Volk" für den Stand der Armen und Geldlosen hat vermutlich ebenfalls hintergründigen Sinn; vgl. meine Studie zu 2,1-3.
50 Vgl. *ibid*.
51 Zum etymologischen Spiel mit den Namen der Philisterstädte:
עַזָּה - עֲזוּבָה עזב "verlassen"
עֶקְרוֹן - תֵּעָקֵר עקר "entwurzeln"
אַשְׁדּוֹד - wohl *שֵׁד "Mittagsdämon"(?) - "am Mittag wird man sie abführen"
אַשְׁקְלוֹן - קָלוֹן "Schande" oder קלל "Fluch" - "zur Verwüstung".
52 Ist bei "Brennesselfeld" (מִמְשַׁק) und "Salzgrube" (מִכְרֶה) ursprünglich eine Assonanz an "Damaskus" bzw. "Machir" der Grund für die Wortwahl?
53 Unsichere Übersetzung sowohl des Pflanzennamens wie des *hapax legomenon* ממשק: "v. Unkraut überwucherter *Boden*" (HAL^3: 564); "ein Besitz der *Nesseln*" (ZOHARY 1983: 162).
54 Wohl von כרה I "graben" herzuleiten.
55 Vgl. Jes 1,7.9f.; 3,9; 13,19; Am 4,11; Jer 23,14; 49,18; 50,40; Ez 16,46-56; Thr 4,6.

lich durch gewisse Assoziationen wie "Salzmeer", "Versteppung" o.ä. provoziert, wirken aber als Beschreibung der genannten Territorien insgesamt wegen der Disproportion im Vergleich wie eine groteske Verzeichnung[56].

IV

Neben die satirische Vergleichung oder Gleichsetzung, die auf der Stilebene je karikierende, groteske, sarkastische Effekte erzeugt, tritt nun - wie in den Bildworten schon angelegt - die Bildszene. Diese gewinnt karikierende Funktion auf ähnliche Weise wie das Bildwort, nämlich als Imitation oder Parodie, auf die wir jetzt eingehen wollen. Eine Imitation oder Parodie[57] ist gleichsam eine szenische Metapher, die aus der ständigen Konfrontation mit dem Original lebt. Als Bildszene mag sie hier als Sonderform des Bildmotivs aufgenommen werden, auch darum, weil sie die satirische Intention der Zefanja-Worte am besten belegt.

Von der ninivitischen Vogelszene 2,14 war schon die Rede. Der Vogelgesang aus dem Erscheinungsfenster und von der Palastschwelle her trägt ohne Zweifel parodistische Züge.

Gleiches gilt nun für die von J.SCHARBERT so genannte "Antiliturgie" in 1,7[58]. Zefanja läßt Jahwe in Gestalt eines opferwilligen Adoranten gleichsam durch die Hintertür ins Heiligtum ein.

> "Still vor dem Allherrn Jahwe! (Ja, nahe ist der Tag Jahwes!)[59]
> Denn Jahwe hat ein Opfermahl angesetzt! Die Geladenen hat er (bereits) geheiligt!"

56 Könnte man das schwer verständliche Logion über die Kuschiten in 2,12 anders lesen, als es der masoretischen Tradition entspricht, nämlich: גמא תם statt גם אתם, also "ein heiler Papyros (war) ..." statt "auch ihr ...", wäre ein Bildwort gegeben, das der Kern des Spruchs gewesen sein könnte.

57 Die Definition der Parodie lautet bei VON WILPERT 1955: 431f., ganz ähnlich wie die der Karikatur: "In der Lit. die verspottende, verzerrende oder übertreibende Nachahmung e. schon vorhandenen Werkes ... Ihr Zweck ist entweder Aufdeckung der Schwächen und Unzulänglichkeiten ... mit dem Ziel, sie der Lächerlichkeit preiszugeben ... oder einfach harmloses Spiel ...". Die letzte Alternative ist bei der prophetischen Verkündigung natürlich ausgeschlossen.

58 Vgl. dazu IRSIGLER 1977: 291f.

59 Wahrscheinlich Einfügung aus 1,14ff.

Durch die Vertauschung der Akteure entsteht eine groteske Szene. Als Opferherr feiert Jahwe ein Mahl mit den Seinen, unbeachtet vom Gros der Gemeinde. Jahwe feiert mit den Völkern. Jerusalem betet vor einem andern Gott.

Das berühmte Tag Jahwe-Stück in 1,14ff.[60] scheint mir eine Parodie zu sein, und zwar auf den Akt der Ausrufung des "großen Festtages"[61]. Ist das so, wäre ein grotesk-theatralisches Szenarium im Sinne einer symbolischen Handlung anzunehmen. Der Prophet spielt den trommelnden Ausrufer und vergällt mit seinem düsteren Singsang allfällige Erwartungen auf ein frohes Fest.

"Nah ist der Tag Jahwes, der große,
er kommt eilend heran!
(Schneller ist der Tag Jahwes als der Läufer
und geschwinder als der Kämpfer!)
Ein Tag des Zorns ist jener Tag,
ein Tag der Angst und Bedrängnis!
Ein Tag der Öde und Verödung,
ein Tag des Dunkels und der Finsternis!
Ein Tag des Gewölks und der Gewitternacht,
ein Tag des Hornrufs und des Kriegsgeschreis!
Gegen die befestigten Städte
und gegen die hohen Burgen!"

Das parodistische Moment ist vor allem in der melodiösen und rhythmischen Gestaltung zu erkennen. Dumpfe, dröhnende Schläge untermalen die grauen a/o-Töne des Wortklangs, bei fast völliger semantischer Abstinenz der Einzelaussage[62]. Die Tag Jahwe-Dichtungen Am 5, Jes 2, Joel 2 parodieren, wie ein Vergleich zeigt, nicht auf gleiche Weise. Wenn Zef 1,14ff. ein "Hymnus" genannt wird, geschieht dies in völliger Verkennung der satirischen Absicht. Diese Symbolhandlung mit ihrer ätzenden Kritik paßt allerdings wenig zum Optimismus der josianischen Zeit[63].

60 Wir verzichten auf eine Darlegung des Problems. Die Literatur findet sich bei IRSIGLER 1977, SCHARBERT 1982, HEINTZ 1971. Zur Begründung der hier vorgetragenen Auffassung verweise ich auf meine Studie zu Zefanja.

61 Bewegliche Festtage waren anzuberaumen und auszurufen: קרא מִקְרָא , Jes 1,13f. Spielt Zefanja den Ausrufer?

62 Melodie und Rhythmus des Stückes: Silbengradation und Schrittzwang (wie beim Jambengang in 2,1f.), Klangmonotonie, ist bei IRSIGLER 1977 am klarsten dargestellt.

63 Unter der Voraussetzung, daß die Datierung von 1,1 einigermaßen zutrifft.

Vielleicht darf man auch das lärmvolle Szenarium vom Krachen und Brechen der Vorstädte Jerusalems 1,10f.[64] als eine dramatische Satire verstehen, die aus dem Bildgehalt und Lautwert der Stadtteilbezeichnung "der Mörser" lebt[65].

"Spruch Jahwes:
Horch! Geschrei vom Fischtor her
und Geheul von der Neuen Stadt
und großes Krachen von den Hügeln!
Klagt, ihr Bewohner des Mörsers!
Ja, vernichtet ist alles Kanaan-Volk,
ausgetilgt sind alle Silberwäger!"

Parodistisch gemeint und ironisch zugleich scheint auch das stolze Wort Jerusalems im Stil der Königsinschriften 3,6 zu sein, das sich der Zerstörung von Völkern und Städten rühmt.

"Ich habe Völker ausgerottet, ihre Burgen sind zerstört!
Ich habe ihre Straßen entvölkert (keiner geht mehr vorüber),
ihre Städte sind verwüstet (ohne Menschen, keine Bewohner mehr)."

Man merkt nicht, daß zerstörte Städte für eine expansive und restaurative Politik, wie die Josias, auch für die "Taube unter den Städten" wenig rühmlich sind. Der ironische Effekt entsteht hier - wenn das richtig gesehen ist - durch den unausgesprochenen, aber deutlichen Kontrast zur wirklichen politischen Situation.

Ganz rätselhaft bleibt die Stelle 3,8-10[66]. Sie redet von

64 Bemerkenswert ist die Tatsache, daß die illustrierte Ausgabe der "Einheitsübersetzung: Die ganze Heilige Schrift" (deutsche Fassung von "Good Reading Limited", London 1973) zu Zefanja eine einzige Illustration bietet, nämlich die bunte Darstellung eines den assyrischen Reliefs nachgebildeten Sturmbocks in voller Aktion, darunter steht die Legende: "Rammbock. Solche Belagerungsmaschinen meint Zefanja (1,10)"mit Bezug auf das "große Getöse von den Hügeln".

65 Es ist mir nicht sicher, ob "der Mörser" als Appellativum und *hapax legomenon* ein Name für ein Jerusalemer Quartier ist, etwa für das Tyropoiontal wegen seiner Muldenform. Vielleicht war es eine allgemeine spöttische Bezeichnung - und somit eine abgeblaßte Metapher - für das bunte Treiben und Menschengemisch in jenem Stadtteil. Vielleicht hat Zefanja auch - was ihm zuzutrauen wäre - den Terminus selbst geschaffen im Sinne einer Karikatur für den Jerusalemer Stadt-"Kessel". Dann würde sich dieser Ausdruck an die topographischen Spottnamen von 2,4ff. anschließen lassen.

66 Man könnte versuchen, den Text (ursprünglich wohl Vv. 8a.9a.10) von der Terminologie der Architektur her aufzuschlüsseln: אל = איל II "Türgewände", "Torpfeiler"; שָׂפָה = סַף "Türschwelle" usw. Vgl. dazu meine Studie.

einem Auftritt Jahwes als Zeuge[67], wobei die unmittelbaren Folgen dieses Auftritts, die offenbar V. 9 schildern will, textlich ziemlich dunkel sind. Vermutlich handelt es sich auch hier um eine Szene satirischen Charakters, bei der etwas symbolisch umgestoßen wird (הפך). Das Motiv des Wartens auf den "Zeugen" Jahwe ist wahrscheinlich als eine Anspielung auf kultische Sachverhalte (auf die Schwurformel?) ähnlich wie 1,7 und 1,14ff. zu verstehen.

So tritt die satirische Szene neben das satirische Bild, die Karikatur. Es legt sich nahe, in ihr eine Spielart der prophetischen Symbolhandlung zu sehen.

V

Wenn ein Prophet ein solch spezielles Verhältnis zur satirischen Rede und zum karikierenden Bildwort hat, erhebt sich die Frage, wie sich dieses auf seine Gottesvorstellung auswirkt. Auch solche Vorstellungen leben ja vom Bildgehalt der Aussage und insbesondere von der theologischen Metapher. Da die Hälfte der Zefanja-Logien etwa als Ich-Worte Jahwes stilisiert sind[68], ist von vorneherein anzunehmen, daß der satirische Elan auch sie bestimmt. Der nachhaltigste Eindruck ist der, daß Zefanja den Zorn seines Gottes vor Augen führt, ein Zorn, der sich in emphatischen und explosiven Sätzen Luft zu machen scheint.

Gleich in 1,2 begegnet im Kopfstück und Motto des Buches die hart akzentuierte, von herrischen Schlägen begleitete, drohende Ankündigung vom bevorstehenden Kahlschlag:

> "Ich räume, räume alles weg vom Ackerboden!"[69]

Im Hintergrund steht die Vorstellung vom Bauer, der in den Herbst geht, zuvor aber *tabula rasa* macht, ehe der Regen kommt.

67 Mit LXX gegen MT (לעד = לְעֵד , nicht לָעַד).
68 Explizite Ich-Rede 1,2; 1,8f.; 1,12f.17f.; 2,9; 3,6; 3,8f., möglich auch 2,1; 2,4; 2,12.
69 Der Aphorismus, der m.E. ursprünglich nur 1,2 umfaßte, lebt aus der bäuerlichen Bildwelt (אסף "einheimsen, aufräumen"; אֲדָמָה "Ackerland"). 1,3 dehnt den Horizont ins Universale aus.

1,7 ist er der private Opferherr, der eine Mahlfeier vorbereitet, fremd und anonym, derweil die Kultgemeinde ihren Gottesdienst verrichtet. 1,8f. erscheint er in Gestalt des königlichen Revisors, der am Hofe für Ordnung sorgt[70]. 1,10f. kündigt das Getöse der Belagerung sein Kommen als feindlicher Feldherr an. 1,12f. durchsucht er offenbar unerkannt wie ein plünderder Soldat[71] die Altstadt und macht grausam nieder, wen er von den Reichen findet. 2,1 warnt er vor den Feld und Flur zertretenden Herden oder Heeren die Armen. In Kapitel 2, nach den erhaltenen Fragmenten der Völkersprüche, vollzieht er wie der Großkönig strafend das Gericht an den Völkern, gerecht nach dem *ius talionis*[72] bemessen. Drohend tritt er wieder wie ein fremder Feldherr der sich zu Unrecht rühmenden Stadt Jerusalem entgegen 3,1.3.6 und betritt als Zeuge (für wen? gegen wen?) 3,8 den Plan.

Kein Raum bleibt da für vertraute Glaubensbilder. Selbst der große Festtag wird ein Tag der Finsternis und des Dunkels sein 1,14ff. Doch es ist die Nacht der Geblendeten, die er herbeiführt (1,17). Nur Angst und Schrecken verbreitet die fröhlich erwartete Epiphanie am Fest. Zefanja verkündigt und vertritt den fremden Gott, den man in seiner Fremdheit in allzu tiefer Vergessenheit übersehen oder im Laufe der Zeit nach dem eigenen Bild geformt hat. Zefanja hat die Mißachtung dieses Gottes auch durch die kultischen und politischen Institutionen durchschaut. Offenbar liegt für ihn hier die Quelle seiner Erkenntnis. So sieht er in der verfremdenden, der satirischen Rede, speziell in den befremdlich karikierenden Bildworten und Bildszenen ein Mittel, für seinen Gott Breschen in die fromme Fassade seiner Zeit zu schlagen. Da die satirische Rede eine Haltung der Distanz, der Kritik, ja auch der Erregung und des Unmuts über Schäden und Schulden, Scheinheiligkeit und Anmaßung, zur Voraussetzung hat, eignet sie sich zum Ausdruck seiner Grundsicht.

70 Sollte nicht doch - wiewohl generell verneint - darin auch eine Kritik am König liegen, der es an seinem Hof so weit hat kommen lassen?
71 בַּנֵּרוֹת "mit ölgefüllten Tonlämpchen" klingt nach Improvisation. Den Plural erklärt RUDOLPH 1975: 263, damit, daß "eine einzelne zu früh ausbrennt". Das resultative Piel schließt wohl die herrische Verfügung nicht aus: Ich lasse durchsuchen.
72 Dies ist wohl der letzte Grund für die Sprachspiele mit den Namen.

Daß die Funktion solcher Rede die Kritik, Aufdeckung und Anprangerung ist, braucht nicht eigens ausgeführt zu werden. In dieser Funktion trifft sich Zefanja mit den Intentionen der großen kritischen Propheten des 8. Jahrhunderts.

Dem entspricht die Tatsache, daß Zefanja explizite "Scheltwort"-Formulierungen im Sinne des anklagenden Schuldaufweises und der Begründung der Gerichtsankündigung - wenn überhaupt - nur spärlich verwendet. Aber selbst wenn man Passagen wie 1,9 oder 1,12[73] etwa für Zefanja selbst reklamieren wollte, müßte man einräumen, daß der dort jeweils formulierte Rechtsgrund für das Jahwegericht dem entworfenen Zerrbild integriert ist. Das theologische Urteil aber bleibt der Karikatur inhärent.

So läßt sich zusammenfassend sagen:

Zefanja verwendet Sprachbilder im Sinne von Karikaturen, von Zerr- und Spottbildern, und zwar in fast allen seinen Logien. Diese Quasi-Karikaturen haben den Ort und die Funktion, die im prophetischen Wort sonst vom Scheltwort, der Anklage, Gerichtsbegründung, dem Lagehinweis vertreten wird. Entsprechend selten ist in den authentischen Logien die explizite Anklagerede. Kritisierend und weissagend greift er zu der "furchtbaren Waffe" des Spottgedichts.

Die besondere Art der Verwendung des karikierenden Bildworts wirft auch ein Licht auf das Verhältnis Zefanjas zu den beiden, etwa zeitgenössischen großen Propheten Jeremia und Ezechiel. Ist der junge Jeremia mit seiner unvergleichlich reichen und nuancierten Bildsprache (vor allem in Kap. 2-6) der Lyriker und der in großen Perspektiven denkende, theologisch gelehrte Ezechiel mit seinen "breit ausgemalten Gemälden"[74] der Epiker, dann wäre Zefanja der Satiriker unter den Propheten zu nennen[75].

73 Da 1,3.4ff.; 2,8ff.; 3,2.4f.; 3,7 (wie die Glosse 1,17a) nicht zu den Zefanja-Logien zu zählen sind, bleiben eigentlich nur 1,9b und 1,12b übrig. Aber auch diese sind m.E. redaktionelle Zufügungen.

74 ZIMMERLI 1969: 45*.

75 Satirische Redeformen kommen natürlich auch bei anderen Propheten vor. Wenn aber in fast allen der ca. 15 erhaltenen Logien des Zefanja karikierende Bildmotive oder Bildszenen begegnen, ist das zweifellos ein Zug, der für den Propheten Zefanja wesentlich ist.

VI

Daß der satirische Charakter der zefanjanischen Verkündigung den Rezipenten und Tradenten seiner Aphorismen immer deutlich gewesen sei, wird man nicht behaupten können. Ja, es scheint, als ob die Redaktoren damit ziemlich überfordert waren. Allzu groß ist ihr Drang, die Aussage auf vertraute theologische Kategorien hin zu orientieren. Das bedeutet, daß sie - wo immer es ging - die satirische Spitze abbrachen. Für die karikierende Bildrede sieht das so aus, daß sie in der Regel allegorisch verstanden und rational ausgedeutet wird. Das Beispiel der "Schwellenhüpfer" ist illustrativ. Das Bild wird aufgelöst. Den Höflingen wird nunmehr moralisches Fehlverhalten, konkret Unterdrückung und Betrug, d.i. Ausbeutung zugunsten des Regimes vorgeworfen: "Sie füllen das Haus ihres Herrn mit Unrecht und Betrug" (1,9b). Den unbeweglichen Wein-Leuten der Altstadt wird jenes bekannte *Dictum* in den Mund gelegt, das ihren praktischen Atheismus theologisch erläutert: "Weder Gutes noch Schlechtes tut Jahwe", d.h. gar nichts (1,12). Nicht ungeschickt wird eine "Sprechblase" zu der Karikatur hinzugefügt. Die Legende soll die Metapher erläutern. Krasses Unverständnis jedoch signalisieren m.E. die redaktionellen Erweiterungen in 2,1ff. Nur Vers 3a hat offenbar noch eine Ahnung, daß es sich bei diesem Aphorismus um Armut und Arme handelte. Aber auch dieser (offensichtlich jüngere) Nachtrag wie auch die Ausdeutungen von Vers 2b und Vers 3b können mit dem Bild der gebückten, häckselsammelnden Leute nicht viel anfangen. Sie weichen in die Allegorie aus, fromm und bieder: "Bevor über euch kommt der Zorntag Jahwes, suchet Gerechtigkeit, suchet Demut!" (2,2b.3b). "Suchet Jahwe, ihr Armen des Landes alle!" Als ob sie das nicht täten: 2,3a! Ist das Zefanjas paränetischer Rat: Bückt euch, betet an, vielleicht könnt ihr überleben? Man kann sich das kaum vorstellen.

Die Völkersprüche werden rundum aufgebessert. Man bemängelt ihre lakonische Kürze. Möglicherweise waren sie in keinem guten oder in unfertigem Zustand. Das Beispiel des Moab- und Ammon-Wortes ist typisch. Wortreich und breit ausladend ist da zu lesen:

"Ich habe den Hohn Moabs gehört und die Lästerungen der Ammoniter, wodurch sie mein Volk verhöhnt haben; und sie erhoben sich gegen ihr (mein) Gebiet.
Darum, so wahr ich lebe - Spruch Jahwes Zebaot, des Gottes Israels:
Ja, Moab wird wie Sodom werden und die Ammoniter wie Gomorra:
Brennesselfeld und Salzgrube - Wüste für immer!
Der Rest meines Volkes wird sie ausplündern
und, was übrig ist von meiner Nation, wird sie beerben.
Dies geschieht wegen ihres Hochmuts. Denn sie haben gehöhnt und sich wieder das Volk Jahwe Zebaots erhoben."

Nur die kursiv geschrieben Passagen sind für authentisch zu halten. Das Bild ist mit einem sehr breiten und sehr gewichtigen Rahmen theologischer Begrifflichkeit versehen worden. Der verbreitete Sodom- und Gomorra-Topos soll die bizarren Bildworte vom Brennesselfeld und der Salzgrube (2,9) erklären oder gar verdrängen. Weshalb eigentlich? Wollte man lieber das Wohlvertraute als das Neue bei Zefanja lesen?

Schließlich bekommt auch der Vogelgesang in 2,15 eine ordentlich theologische Diktion: Selbstüberhebung war es, spricht der weise Rabe, die Ninives Untergang verursachte. Hochmut kommt vor dem Fall!

Auch in Kapitel 3 bekunden die Redaktoren wenig Sinn für Bilder, umso mehr für theologische Argumente. Transparent wird diese Einstellung besonders in der Bearbeitung von 3,1-7. Jerusalems beklagenswertes Schicksal ist selbstverschuldet. Schuld haben in erster Linie die führenden Leute. Dazu gehören neben den Ministern und Richtern (3,3) eben auch Propheten und Priester (3,4). Doch diese werden nicht karikierend kritisiert, sondern vielmehr moralisch diffamiert: "Ihre Propheten - Schaumschläger[76] und Betrüger! Ihre Priester entweihten das Heiligtum, unterdrückten die Weisung!" Ein Versuch, wenigstens im Stil zu bleiben! Ab 3,6 wird die Sachlage ganz undurchsichtig. Wer sollte denn die Worte 3,6 gesprochen haben? Sollte 3,8ff. mit Jahwes Erscheinen nun doch ein heilsames Pfingstereignis ankündigen? --

Wir brechen ab. Die Fragen sind vielfach nur redaktions-

76 פֹּחֲזִים < פחז "überwallen, überschäumen" (HAL[3]: 872f.); LXX:πνευματοφόροι "Geistträger", Windmacher"; Α: θαμβευταί "aufgeblasen", "geschwollen", dazu RUDOLPH 1975: 286.

kritisch zu lösen. Es ist ersichtlich, daß die redaktionelle Bearbeitung des Buches den Stileigentümlichkeiten des Propheten nicht immer gerecht zu werden vermochte. Dennoch wird man es ihr danken müssen, daß sie die ihr offenbar in die Hände gefallenen Notizen bewahrte und herausgab und so die satirischen Worte dieses Propheten mit ihren karikierenden Bildmotiven der Vergessenheit entrissen hat.

LITERATURVERZEICHNIS

ALONSO-SCHÖKEL, L.
1971 Das Alte Testament als literarisches Kunstwerk. Köln.

ANDERSON, G.W.
1978 The Idea of the Remnant in the Book of Zephanjah. Annual of the Swedish Theological Institute (in Jerusalem) 11: 11-14.

BACHER, W.
1891 Zu Zephanja 2,4. ZAW 11: 185-187.

BACHMANN, J.
1894 Zur Textkritik des Propheten Zephania. ThStKr 67: 641-655.

BALL, I.J.
1972 A Rhetorical Study of Zephaniah. Diss. Ann Arbor, Michigan.

BENNETT, W.H.
1918-19 Sir J.G.Frazer on "Those that leap over (or on) the threshold." (Zeph. 1,9). ET 30: 379-380.

BÖHL, F.M.Th.
1926 Wortspiele im Alten Testament. JPOS 6: 196-212.

BOTTERWECK, G.J.
1972 Gott und Mensch in den alttestamentlichen Löwenbildern. S. 117-128 in: Wort, Lied und Gottesspruch: Beiträge zu Psalmen und Propheten, Festschrift für J.Ziegler. Forschung zur Bibel 2; Würzburg.
1977 Art. זְאֵב z^{e}ʾeḇ. ThWAT II: 586-594.

BRIN, G.
1969 The Title בן (ה)מלך and its Parallels. Annali del' istituto universitario orientale di Napoli 19: 433-465.

BRUNNER-TRAUT, E.
1968 Altägyptische Tiergeschichte und Fabel: Gestalt und Strahlkraft. Darmstadt^{2}.
1974 Die Alten Ägypter: Verborgenes Leben unter Pharaonen. Stuttgart-Berlin-Köln-Mainz.

BUDDE, K.
1893 Die Bücher Habakkuk und Sephanja. ThStKr 66: 383-399.

BÜHLMANN, W.- SCHERER, K.
1973 Stilfiguren der Bibel: Ein kleines Nachschlagewerk. Biblische Beiträge 10; Freiburg/Schweiz.

CARNITI, C.
1970 L'espressione "il giorno di Jhwh": origine ed evoluzione semantica. BeO 12.
CAZELLES, H.
1967 Sophonie, Jéremie et les Scythes en Palestine. RB 74: 24-44.
CORNILL, C.H.
1916 Die Prophetie Zephanjas. ThStKr 89: 297-332.
DEISSLER, A.
1964 Sophonie. La Sainte Bible VIII,1; Paris.
DONNER, H.
1970 Die Schwellenhüpfer: Beobachtungen zu Zephanja 1,8f. JSS 15: 42-55.
DUHM, B.
1911 Anmerkungen zu den zwölf Propheten. ZAW 31: 81-110. 161-204.
1922 Israels Propheten. Tübingen[2] (1916).
EHRLICH, A.B.
1912 Randglossen zur hebräischen Bibel, V. Leipzig.
EISSFELDT, O.
1976 Einleitung in das Alte Testament unter Einschluß der Apokryphen und Pseudepigraphen sowie der apokryphen- und pseudepigraphenartigen Qumrān-Schriften. Entstehungsgeschichte des Alten Testaments. Tübingen[4].
ELLIGER, K.
1950 Das Ende der "Abendwölfe" Zeph 3,3 Hab 1,8. S. 158-175 in: BAUMGARTNER, W. et al., edd., Festschrift A. Bertholet zum 80. Geburtstag. Tübingen.
1967 Das Buch der zwölf Kleinen Propheten, II: Die Propheten Nahum, Habakuk, Zephanja, Haggai, Sacharja, Maleachi übersetzt und erklärt. Das Alte Testament Deutsch 25; Göttingen.
FENSHAM, F.C.
1967 A Possible Origin of the Concept of the Day of the Lord. OTWSA 2: 90-97.
1970/71 The Poetic Form of the Hymn of the Lord in Zephanjah. OTWSA 13/14: 9-14.
FOHRER, G.
1974 Die Propheten des Alten Testaments II: Die Propheten des 7. Jahrhunderts. Gütersloh.
GERLEMAN, G.
1942 Zephanja: Textkritisch und literarkritisch untersucht. Diss. Lund.
GOZZO, S.M.
1977 Il propheta Sofonia e la dottrina teologica del suo libro. Antonianum 52: 3-37.
GRAPOW, H
1920 Vergleiche und andere bildliche Ausdrücke im Ägyptischen. AO 21,1/2.
1924 Die bildlichen Ausdrücke des Ägyptischen. Leipzig.
GRAY, J.
1953 A Metaphor from Building in Zephaniah II 1. VT 3: 404-407.
GRILL, F.
1958 Der Schlachttag Jahwes. BZ 2: 278-283.
HAL[3]

HAUPT, P.
1919 The Prototyp of the Dies Irae. JBL 38: 142-151.
1920a Pelican and Bittern. JBL 39: 158-161.
1920b Qaš, straw and qäšt, bow. JBL 39: 161-163.

HEINTZ, J.G.
1971 Ūmūšū qerbū. VT 21: 528-540.

HELLER, J.
1971 Zephanias Ahnenreihe: Eine redaktionsgeschichtliche Bemerkung zu Zeph I. VT 21: 102-104.

HEMPEL, J.
1924 Jahwegleichnisse der israelitischen Propheten. ZAW 42: 74-107.
1939 Die Grenzen des Anthropomorphismus Jahwes im Alten Testament. ZAW 57: 75-85.

HORST, F.
1964 Die zwölf Kleinen Propheten: Nahum bis Maleachi. HAT I 4; Tübingen[3].

HYATT, J.Ph.
1948 The Date and Background of Zephaniah. JNES 7: 25-29.

IRSIGLER, H.
1977 Gottesgericht und Jahwetag. Münchener Universitäts-Schriften, Katholisch-Theologische Fakultät: Arbeiten zu Text und Sprache im Alten Testament 3; St. Ottilien.
1978 Äquivalenz in Poesie: Die kontextuellen Synonyme ṣă[c]aqā-yålalā-šibr gadu(w)l in Zef 1,10c.d.e. BZ 22: 221-235.

JEPPESEN, K.
1981 Zephaniah I 5b. VT 31: 372-373.

JONGELING, B.
1971 Jeux de mots en Sophonie III 1 et 3?. VT 21: 541-547.

JUNKER, H.
1938 Die zwölf Kleinen Propheten, II. Hälfte: Nahum Habakuk Sophonias Aggäus Zacharias Malachias. Die Heilige Schrift des Alten Testamentes VIII 3/II; Bonn.

KAPELRUD, A.S.
1975 The Message of the Prophet Zephaniah: Morphology and Ideas. Oslo-Bergen-Tromsø.

KEEL, O.
1977 Vögel als Boten: Studien zu Psalm 68,12-14, Gen 8, 6-12, Koh 10,20 und dem Aussenden von Botenvögeln in Ägypten. Mit einem Beitrag von U.WINTER zu Ps 56,1 und zur Ikonographie der Göttin mit der Taube. OBO 14; Freiburg-Göttingen.

KELLER, C.-A.
1971 Nahoum, Habacouc, Sophonie. Commentaire de l'Ancien Testament XI b; Neuchâtel.

KIRSCHBAUM, E.
1972 Lexikon der christlichen Ikonographie IV. Bern-Freiburg-Basel-Wien.

KOCH, K.
1978 Die Profeten, I: Assyrische Zeit. Urban-Taschenbuch 280; Stuttgart-Berlin-Köln-Mainz.

KÖNIG, E.
1900 Stilkritik, Rhetorik, Poetik. Leipzig.

KRINETZKI, G.
1977 Zefanjastudien. Regensburger Studien zur Theologie 7;

Regensburg.

KSELMAN, J.S.
1970 A Note on Jeremiah 49_{20} and Zephaniah 2_{6-7}. CBQ 32: 579-581.

KULP, J.
1933 Der Hymnus Dies irae, dies illa. Monatsschrift für Gottesdienst und kirchliche Kunst 38: 256-263.

LANGOHR, G.
1976a Le livre de Sophonie et la critique d'authenticité. BEThL 52: 1-27.
1976b Rédaction et composition du livre de Sophonie. Muséon 89: 51-73.

LAUSBERG, H.
1960 Handbuch der literarischen Rhetorik I/II. Bonn.

LORETZ, O.
1959 Kleinere Beiträge. BZ 3: 292-294.
1973 Textologie des Zephanja-Buches. UF 5: 219-228.

MAILLOT, A.
1977 Sophonie ou L'erreur de Dieu. Neuchâtel.

MAYER, R.
1950 Zur Bildersprache der alttestamentlichen Propheten. Münchener Theologische Zeitschrift 1: 55-65.

MOWINCKEL, S.
1958 "Jahves dag". Norsk teologisk tidsskrift 59: 1-56. 209-229.

MÜLLER, H.-P.
1984 Vergleich und Metapher im Hohenlied. OBO 56; Freiburg-Göttingen.

NÖTSCHER, F.
1958 Zwölfprophetenbuch. Die Heilige Schrift in deutscher Übersetzung "Echter Bibel" (Altes Testament) III; Würzburg.

NOWACK, W.
1922 Die kleinen Propheten. HAT III 4; Tübingen[3] (1903[2]).

PROCKSCH, O.
1910 Die kleinen Propheten vor dem Exil. Stuttgart-Calw.

RICE, G.
1979/80 The African Roots of the Prophet Zephanja. Journal of Religious Thought 36: 21-31.

ROSE, M.
1981 "Atheismus" als Wohlstandserscheinung? (Zephanja 1,12). ThZ 37: 193-208.

ROTHSTEIN, J.W.
1923 Der Prophet Zephanja. Die Heilige Schrift des Alten Testaments II; Bonn[4].

RUDOLPH, W.
1975 Micha - Nahum - Habakuk - Zephanja. KAT XIII 3; Gütersloh.

RÜTERSWÖRDEN, U.
1981 Die Beamten der israelitischen Königszeit: Eine Studie zu ŚR und vergleichbaren Begriffen. Diss. Bochum.

SABOTTKA, L.
1972 Zephanja: Versuch einer Neuübersetzung mit philologischem Kommentar. Biblica et Orientalia 25; Rom.

SCHARBERT, J.
1967 Die Propheten Israels um 600 v.Chr. Köln.
1982 Zefanja und die Reform des Joschija. S. 237-253 in: RUPPERT, L.-WEIMAR, P.-ZENGER, E., edd., Künder des Wortes: Beiträge zur Theologie der Propheten, J. Schreiner zum 60. Geburtstag. Würzburg.

SCHMIDT, J.
1938 Das Wortspiel im Alten Testament. BZ 24: 1-17.

SCHWALLY, F.
1890 Das Buch Ssefanjâ: Eine historisch-kritische Untersuchung. ZAW 10: 165-240.

SELLIN, E.
1930 Das Zwölfprophetenbuch. KAT XII; Leipzig[2] (1922).

SEYBOLD, K.
1984 Text und Textauslegung in Zef 2,1-3. (In Vorbereitung für BN.)
Satirische Prophetie: Studien zum Buch Zefanja. (In Vorbereitung für SBS.)

SMITH, J.M.P.
1948 A Critical and Exegetical Commentary on the Books of Micah, Zephaniah and Nahum. International Critical Commentary of the Holy Scriptures; Edinburgh[3] (1911).

SODEN, W. von-BOTTERWECK, G.J.
1982 Art. יוֹנָה *jônah* . ThWAT III: 586-594.

SPILLNER, B.
1974 Linguistik und Literaturwissenschaft: Stilforschung, Rhetorik, Textlinguistik. Stuttgart.

STENZEL, M.
1951 Zum Verständnis von Zeph. III 3b. VT 1: 303-305.

TALLQUIST, K.
1907 Typen der assyrischen Bildersprache. HaQedem 1: 1-13. 55-62.

TAYLOR, Ch.L.
1956 The Book of Zephaniah. Interpreter's Bible VI; New York.

THOMAS, D.W.
1962/63 A Pun on the Name of Ashdod in Zeph. 2.4. ET 76: 63.

TOYNBEE, J.M.C.
1983 Tierwelt der Antike. Kulturgeschichte der Antiken Welt 17; Mainz.

UNGERN-STERNBERG, R. von
1960 Der Prophet Zephanja. Botschaft des Alten Testaments 23/IV; Stuttgart.

VAUX, R. de
1960 Das Alte Testament und seine Lebensordnungen, I: Fortleben des Nomadentums. Gestalt des Familienlebens. Einrichtungen und Gesetze des Volkes. Freiburg - Basel - Wien.

WEINRICH, H.
1966 Semantik der Metapher. Folia Linguistica 1: 1-17.

WELLEK, R.-WARREN, A.
1963 Theorie der Literatur. Frankfurt-Berlin[3].

WELLHAUSEN, J.
1898 Die Kleinen Propheten übersetzt und erklärt.(Zitiert nach dem Nachdruck der 3. Auflage: Berlin[4]).

WILLIAMS, D.L.
1963 The Date of Zephaniah. JBL 82: 77-88.
WILPERT, G. von
1969 Sachwörterbuch der Literatur. Kröners Taschenausgaben 231; Stuttgart[5] (1955).
WÜNSCHE, A.
1906 Die Bildersprache des Alten Testaments. Leipzig.
ZIMMERLI, W.
1969 Ezechiel, 1. Teilband: Ezechiel 1-24. BK XIII/1; Neukirchen-Vluyn.
ZOHARY, M.
1983 Pflanzen der Bibel: Ein vollständiges Handbuch. Stuttgart.

KLAUS SEYBOLD

Die Bildsprache der neuassyrischen Prophetie

1. Die neuassyrische Prophetie

Wenn heutzutage von altorientalischer Prophetie die Rede ist, denkt man in erster Linie, wenn nicht ausschließlich, an die altbabylonischen Keilschriftbriefe "prophetischen Inhalts" aus dem 18. Jahrhundert v.Chr., die bei den Ausgrabungen von Mari (*Tell Ḫarīrī*) gefunden worden sind. Sie halten seit Jahren Assyriologen und Alttestamentler in Atem, und die Sekundärliteratur, die sich mit ihnen beschäftigt, ist inzwischen nahezu unüberschaubar geworden[1]. Die Bedeutung dieser Texte für die Geschichte der Prophetie und für die alttestamentliche Wissenschaft soll hier weder unterschätzt noch heruntergespielt werden. Es geht aber nicht an, diese Briefe als *die* Zeugnisse altorientalischer Prophetie außerhalb der Bibel auszugeben und höchstens am Rande noch auf den byblischen Ekstatiker der Reiseerzählung des Unamūn und auf die "Seher und *ᶜddn*" hinzuweisen, die dem König Zakkūr von Hamath und Luᶜaš zu Beginn des 8. Jahrhunderts v.Chr. im Namen des Gottes Beᶜlšamain die Rettung aus feindlicher Bedrängnis zugesagt haben[2]. Im Umfang durchaus mit den "prophetischen" Mari-Briefen vergleichbar ist das Corpus der neuassyrischen Prophetensprüche aus der Regierungszeit der Könige Asarhaddon (681-669) und Assurbanipal (669-629)[3], das zumindest für Alttestamentler wegen seiner zeitlichen und formgeschichtlichen Nähe zu Teilen der israelitischen Prophetie besonders interessant sein sollte, aber, ob-

1 Vgl. die Bibliographien bei ELLERMEIER 1968: 21-23; NOORT 1977: 111-132.
2 Unamūn I 38-41: GARDINER 1932: 65; übersetzt z.B. von E.EDEL in GALLING 1968/1979: 43. Vgl. dazu NÖTSCHER 1966: 170f.; WEIPPERT, M. 1981: 101f. - Zakkūr: KAI 202 A 13-17. Vgl. dazu NÖTSCHER 1966: 171f.; ROSS 1970: 1-28; ZOBEL 1971; WEIPPERT, M. 1981: 102f.
3 Siehe dazu ausführlich WEIPPERT, M. 1981.

wohl zum größten Teil bereits seit dem Ende des vorigen Jahrhunderts veröffentlicht, in der Wissenschaft eher ein Aschenputteldasein geführt hat[4]. Der geringe Bekanntschaftsgrad dieser Prophetensprüche hängt allerdings damit zusammen, daß sie dem Nichtassyriologen nur in begrenztem Umfange zugänglich sind, da sie fast nur in veralteten und ziemlich unzulänglichen Textausgaben und -bearbeitungen und in verbesserungsbedürftigen Übersetzungen vorliegen[5]. Überliefert sind sie auf rund zehn Tontafeln, die sich in der *Quyunǧīq*-Sammlung des Britischen Museums befinden[6].

Nach der äußeren Erscheinung können wir bei ihnen unterscheiden zwischen Einzeltafeln, die eine einzige prophetische Texteinheit enthalten, und Sammeltafeln, auf denen mehrere solcher Einheiten vereinigt sind. Letztere weichen von den Prophetenbüchern des Alten Testaments insofern ab, als die einzelnen Texteinheiten in der Regel durch Über- und Unterschriften jeweils verschiedenen Verfassern zugeschrieben werden. Die Ratio der Zusammenstellung der Sprüche auf einer Sammeltafel ist für uns nur selten zu erkennen. Auffällig ist ferner, daß die Sammeltafeln, von einer Ausnahme abgesehen, aus der Zeit Asarhaddons stammen, während die Einzeltafeln mehrheitlich wohl der Assurbanipals angehören. Das Nebeneinander beider Archivierungs- und das heißt Überlieferungsformen läßt zusammen mit

4 Obwohl bereits MEISSNER 1925: 281 die Autoren der einschlägigen Texte als Propheten bezeichnet hatte, wurden die "Orakel" anscheinend erst von DIETRICH 1973: 40-43 als Prophetensprüche wirklich ernstgenommen.

5 Eine ausführliche Bibliographie wird meine für die Reihe OBO geplante Monographie über die Texte enthalten. Einige neuere Übersetzungen (meist in Teilen verbesserungsbedürftig): E.EBELING in GRESSMANN 1926: 266f. 281-283; LUCKENBILL 1927: 238-241 §§ 617-638; R.H.PFEIFFER in PRITCHARD 1950-1969: 449-451; R.D.BIGGS in PRITCHARD 1969: 605; R.LABAT in LABAT *et al.* 1970: 257f.; CASTELLINO 1977: 449-454.458f.; M.WEIPPERT in VEENHOF 1983: 284-289.

6 Liste mit Angabe der Publikationsstellen bei WEIPPERT, M. 1981: 112 Nr. 1-8. Dazu kommen noch: K 1974 (CT 53,219); 83-1-18,726 (CT 53,946) und K 10865 (CT 53,413; Zugehörigkeit zur Textgruppe nicht gesichert). Ich zitiere die Texte nach den Inventarnummern des Britischen Museums; Großbuchstaben nach der Nummer bezeichnen bei Sammeltafeln die einzelnen Sprucheinheiten, arabische Zahlen mit Asteriskus die Sätze innerhalb der Sprucheinheiten; ergänzend sind Kolumnen- und/oder Zeilenzahlen hinzugefügt. - Zum folgenden vgl. WEIPPERT, M. 1981, wo die Angaben belegt sind (in der vorliegenden Zusammenfassung in einigen Kleinigkeiten revidiert).

den Autorenvermerken erkennen, wie die Sammlungen zustandegekommen sind: nämlich aus der Vereinigung der Texte von Einzeltafeln. Im vorhandenen Bestand lassen sich 33 Texteinheiten feststellen. Doch dürfte die Zahl der prophetischen Texte weit größer gewesen sein, da die großen Sammeltafeln der Zeit Asarhaddons sämtlich beschädigt sind, und die erhaltenen Texte - wie Zitate weiterer prophetischer Orakel in Königsinschriften vermuten lassen - überhaupt nur einen Ausschnitt aus dem ursprünglichen Bestand darstellen dürften. Aus den Verfassernotizen sind fünfzehn Propheten, zehn Frauen und fünf Männer bekannt, die meisten mit Namen, Wohnort oder "Beruf". Unter den Wohnorten wird Arbela, der Kultort der Ištar von Arbela, siebenmal, Assur zweimal, Kalḫu und eine sonst unbekannte Gebirgssiedlung je einmal genannt. Bei den "Berufs"angaben heben sich ähnlich wie in der Mari-Prophetie zwei Personengruppen voneinander ab: Personen, deren Titel keine direkten Verbindungen mit mantischen Tätigkeiten erkennen lassen, und solche, bei denen das der Fall ist. So haben wir einerseits zwei Frauen, die jeweils als Tempeloblatin (*šēlūtu*) bezeichnet werden, andererseits je eine *maḫḫūtu* "Ekstatikerin", einen *raggimu* "Sprecher" und eine *raggintu* "Sprecherin". Alle diese Bezeichnungen lassen sich auch außerhalb der Gruppe der prophetischen Texte nachweisen; die *maḫḫūtu* ist bereits in altakkadischer und altbabylonischer Zeit belegt, u.a. in Mari, wo auch ihr männliches Äquivalent *maḫḫû* (in der Form *muḫḫûm*) vorkommt. Die meisten Texteinheiten machen keine Angaben über Art und Ort des Offenbarungsempfangs. Gewöhnlich erwecken sie den Eindruck der Spontaneität; doch sind einige deutlich Antwort auf eine Orakelanfrage. Nur drei Texteinheiten geben ausdrücklich zu erkennen, daß sie aus dem Assur-Tempel É-šár-ra in Assur stammen. Unter den sich offenbarenden Gottheiten tritt am häufigsten Ištar von Arbela auf; neben ihr finden sich noch Mullissu (^{d}NIN.LÍL), ursprünglich die Gemahlin Ellils, die in Assyrien aber im Laufe der Zeit unter Verdrängung von Šeru'a zur Gemahlin Assurs, des "assyrischen Ellil", geworden ist, ferner Assur selbst, Marduk (unter der Bezeichnung Bēl), Nabû und der Kleingott Bēl Tarbāṣe "Herr des Hofes"[7], einer der Türhütergötter des É-šár-ra. Die Botschaften der Götter sind meist an den König gerichtet, gelegentlich an die Königinmutter und den Kronprinzen, in einem Fall auch einmal an die Bürgerschaft Assyriens. Sie kreisen in der Regel um das Wohlergehen und den Erfolg des Königs, dem sie Sieg, eine lange Lebens- und Regierungszeit und den Fortbestand seiner Dynastie in Aussicht stellen. Kritik am König findet sich selten. Die Verwandtschaft dieser Prophetie mit den Königsorakeln des Alten Testaments wie dem des Propheten Ahia von Silo für Jerobeam I. in 1.Kön 11, der "Nathansweissagung" für David in 2.Sam 7, dem Königsorakel Deuterojesajas für Kyros I. in Jes 45,1-7 und den nachexilischen Orakeln Haggais und Sacharjas für Serubbabel liegt auf der Hand; darüber hinaus dürften auch die deuterojesajanischen Heilsorakel für Israel in Jes 40-55 traditionsgeschichtlich an das vorexilische judäische Königsorakel anknüpfen[8].

Zur Illustration dieser kurzen Beschreibung der neuassyrischen Prophetensprüche sei hier ein typisches Beispiel eines Königsorakels in Übersetzung wiedergegeben. Es ist an Asarhaddon gerichtet und stammt von einer der großen Sammeltafeln. Leider ist sein Schluß nicht erhalten, so daß wir die Personalien des Propheten oder der Prophetin nicht kennen, der bzw. die hier im Namen der Ištar von Arbela zum König spricht. Inhaltlich fällt der Textverlust am Ende angesichts des Umfangs des Erhaltenen und des ziemlich lockeren Aufbaus des Ganzen für unsere Zwecke nicht ins Gewicht. Die Sprucheinheit[9] lautet:

1* Ich bin Ištar von [Arbela]!
2* Asarhaddon, König des Landes A[ssyrien]!
3* In den Städten Assur, Nin[eve], Kalḫu (und) Arbela gebe ich lange Tage, dauernd[e] Jahre dem Asarhaddon, mei[nem] König.
4* Dei[ne] große Hebamme bin ich!
5* Deine gute Amme bin ich!
6* Für lange Tage, dauernde Jahre habe ich deinem Thron unter dem großen Himmel Dauer verliehen.
7* In goldener Kammer im Himmel wache ich (darüber).
8* Bernsteinlicht lasse ich vor Asarhaddon, dem König des Landes Assyrien, leuchten.

7 Zu den bei WEIPPERT, M. 1981: 75 mit Anm. 8 genannten Belegen für diese Gottheit kommt noch die Erwähnung eines Priesters ([lú]*šangû*) des [d]EN(*Bēl*). TÙR(*Tarbāṣe*) bei MENZEL 1981: II T 18 Nr. 16 I 12′. Der Titel *bēl tarbāṣi* "Herr des Viehhofes" des Tammuz ist von diesem Gottesnamen fernzuhalten.
8 Vgl. WEIPPERT, M. 1982.
9 K 4310 H (III 7′-IV 35); vgl. zu Einzelheiten der Übersetzung und Interpretation WEIPPERT, M. 1981: 84-87; ders. in VEENHOF 1983: 285-289.

9* Wie die Krone auf meinem Haupt bewache ich ihn.
10* Fürchte dich nicht, König!
11* Ich habe dich eingesetzt,
12* ich täuschte di[ch] nicht,
13* ich machte [dir] Mu[t].
14* Ich lasse [dich] nicht zuschanden werden.
15* Ich lasse dich den Fluß sicher überschreiten.
16* Asarhaddon, rechtmäßiger Erbsohn, Sohn der Mullissu!
17* ...
18* Mit meinen Händen mache ich deinen Feinden ein Ende.
19* Asarhaddon, der König des Landes Assyrien, ist ein Becher voll Soda, eine Axt mit zwei Schneiden[10].
20* Asarhaddon!
21* In der Stadt Assur gebe ich dir lange Tage, dauernde Jahre.
22* Asarhaddon!
23* In der Stadt Arb[e]la bin i[ch] dein guter Schild.
24* Asarhaddon, re[chtmäßiger] Erbsohn, Sohn der Mul[lissu]!
25* [Deiner] gedenke i[ch] (unablässig).
26* Ich liebe di[ch] seh[r].
27* An dei[nem] Haarschopf halte ich dich vom groß[en] Himmel aus.
28* Zu dei[ner] Rechten lasse ich Rauch aufstei[gen],
29* zu dei[ner] Linken Feuer fre[ssen].
30* Das Königtum üb[er...]
...
...

Die Texteinheit beginnt in Satz 1* mit der Selbstvorstellungsformel *anāku* ^{d}*Ištar ša* ^{uru}*Arbaʾile* "Ich bin Ištar von Arbela", einer der drei häufigsten Möglichkeiten der Orakeleinleitung, gefolgt von einer Anrede an den Adressaten in Satz 2*, die auf den ersten Komplex von heilvollen Zusagen in den Sätzen 3*-15* hinführt. Die erste Heilszusage (Satz 3*) bezieht sich auf langes Leben, das der König in den Zentren des assyrischen Reiches, in denen er sich gewöhnlich aufhält, genießen soll. Die Verläßlichkeit der Verheißung wird durch die beiden parallelen Selbstprädikationen der Göttin in den Sätzen 4* und 5* unterstrichen, die die fürsorgliche Haltung Ištars gegenüber Asarhaddon unter dem Bilde der Hebamme und Amme beschreiben. Parallel zu Satz 3* finden wir in Satz 6* die Zusage einer langen Regierungszeit, die in den Sätzen 7*-9* durch darauf abgestimmte Schutzzusagen bekräftigt wird. Die Beruhigungsformel *lā tapallaḫ* "fürchte dich nicht!" (Satz 10*) leitet zu den Sätzen 11*-15* über, die in 14* und 15* allgemeine Beistandszusagen enthalten. Die Sätze 11*-13* stellen einen Rückblick

10 Lies *ka-la-pu ša* 2 TÙN(*pāšē*) (freundliche Mitteilung von K.DELLER); vgl. bereits LANGDON 1914: 131.

auf früheres Heilshandeln der Göttin dar, der die Verläßlichkeit der Versprechungen von Satz 14* und 15* begründen soll. Die emphatische Anrede "Asarhaddon, rechtmäßiger Erbsohn, Sohn der Mullissu" (Satz 16*), die die Legitimität des Königs unterstreicht, leitet eine Beistandszusage ein, die sich auf die Vernichtung innerer und äußerer Feinde bezieht (Satz 18*) und von Alttestamentlern in den Vorstellungsbereich des sog. "Heiligen Krieges" einzuordnen wäre. Satz 17* lautet *ḫangaruakku* - das ist ein vielleicht nichtassyrischer Ausdruck, der bislang jeglicher Interpretation spottet. In Satz 19* haben wir eine Prädikation des Königs, die seine Effektivität unter dem Beistand der Gottheit in zwei Bildern veranschaulicht. Daß der Text nicht von Wiederholungen frei ist, zeigt sich an der nächsten Kleineinheit (Sätze 20* und 21*), die aus der Kurzanrede "Asarhaddon!" und der Zusage langen Lebens, nun in der alten Reichshauptstadt Assur allein, besteht. Daß hier nur eine einzige Stadt genannt ist, macht die Verheißung wohl nicht schwächer als die von Satz 3*. Eine ähnliche Kleineinheit findet sich in den Sätzen 22* und 23*, wo auf die Namensanrede eine Schutzzusage folgt, die auf Arbela, die Tempelstadt der Göttin, bezogen ist. Das hier verwendete Bild des Schildes findet sich analog bekanntlich auch in Gen 15,1. Der letzte erhaltene Verheißungskomplex ist wieder durch die emphatische Anrede eingeleitet, die wir bereits in Satz 16* fanden. Nun geht es in den Sätzen 25*-27* um die liebende Fürsorge der Göttin für den König, während die Sätze 28*ff. wohl von ihrem Beistand im Krieg handeln.

Ähnlich sind auch die meisten anderen neuassyrischen Prophetensprüche aufgebaut, die ja in der Regel Heilsorakel für den König sind.

Für unser Thema wichtig sind die Bildreden, die sich in den Sätzen 4* und 5*, 19* und 23* finden. Sie stehen hier und anderwärts regelmäßig im Zusammenhang ähnlicher Schutz- und Beistandsaussagen, sei es im Rückblick auf früher, sei es im Ausblick auf Gegenwart und Zukunft.

2. Die Bildsprache der neuassyrischen Prophetie

2.1. *Formen der Bilder*

Die sprachlichen Bilder erscheinen in der neuassyrischen Prophetie unter zwei Formen: als Metapher und als Vergleich. Unter einer *Metapher* wird hier mit WOLFGANG HEIMPEL "ein aus einem oder mehreren Wörtern bestehender Ausdruck" verstanden, "der entweder an die Stelle dessen gesetzt wird, für das er Bild ist, als Apposition daneben steht oder dessen Prädikat bildet"[11]. In diesem Sinne wären die Ausdrücke "Vater" und "Mutter" in der Aussage einer Gottheit "Ich bin dein Vater, deine Mutter" (K 12033+ F 8* [III 27′]) Metaphern[12]. Davon unterscheide ich, ebenfalls im Anschluß an HEIMPEL, den *Vergleich*, "einen aus einem oder mehreren Wörtern bestehenden Ausdruck, der mit dem, für das er Bild ist, grammatisch ausdrücklich verbunden wird"[13]. In unseren Beispielen tritt in diesem Fall immer eine der assyrischen Formen der Präposition "wie" auf, z.B. in K 12033+ C 11* (II 9′f.), wo Ištar von Arbela zu Asarhaddon sagt: "Wie ein gutes Hündchen laufe ich in deinem Palast umher". Beide Formen der Sprachbilder können erweitert, fortgesponnen werden. Doch ist es m.E. unnötig, dafür die von HEIMPEL gebrauchten Termini "Parabel" und "Gleichnis"[14] einzuführen; ich spreche einfach von "Erweiterungen". Gelegentlich kommt es auch vor, daß die Metapher im Text gar nicht genannt, sondern umschrieben wird, so etwa in K 1285 G 1*-5* (32-34), wo Nabû zu Assurbanipal sagt:

1* Klein warst du, Assurbanipal, als ich dich der Königin von Nineve überließ,
2* schwach warst du, Assurbanipal, als du auf den Knien der Königin von Nineve saßest.
3* Ihre vier Brüste lagen in deinem Mund:
4* an zweien pflegtest du zu saugen,
5* zwei für dich zu melken.

Hier erwartet man den Ausdruck "Amme"; aber er fällt nicht. In

11 HEIMPEL 1968: 12.
12 Nach MÜLLER 1984: 11-19, bes. 11f., handelt es sich hier um einen Vergleich. Da die Grenze zwischen den Kategorien Metapher und Vergleich fließend ist, bleibe ich für die Zwecke dieser Arbeit bei den HEIMPEL'schen Definitionen.
13 HEIMPEL 1968: 12f.; MÜLLER 1984: 11-19.
14 HEIMPEL 1968: 13f.

einem solchen Fall könnte man von einer "verdeckten Metapher" sprechen.

2.2. *Mutter- und Ammenbilder*

Auf der inhaltlichen Ebene hebt sich aus der Menge der bildlichen Ausdrücke eine relativ einheitliche Gruppe heraus, der gemeinsam ist, daß der König als Kind bestimmter Gottheiten oder in ihrer Obhut vorgestellt ist. Ein Beispiel aus dieser Kategorie wurde oben bereits genannt: K 12033+ F 8* (III 27´), wo sich eine uns wegen Textverlustes nicht namentlich bekannte Gottheit als "Vater und Mutter" des Königs bezeichnet. Die Metapher ist in den Sätzen 9* (III 28´) und 12* (III 31´f.) erweitert:

9* Zwischen meinen Flügeln habe ich dich großgezogen.
12* Zwischen meine Arme, meine Unterarme nehme ich dich mitten im Wehgeschrei.

Satz 9* bezieht sich auf die Aufzucht des Königs "zwischen den Flügeln", d.h. unter dem Schutz der Gottheit, Satz 12* darauf, daß sie ihr "Kind" auch jetzt schützend in ihre Arme schließen wird. In K 833,29* (20) bezeichnet sich Mullissu, die Gemahlin des Reichsgottes Assur, als die "Mutter" Assurbanipals. Diese Aussage steht in einem größeren Zusammenhang der folgendermaßen lautet (Sätze 29*-39* [20-25]):

29* (Du,) dessen Mutter Mullissu ist, fürchte dich nicht!
30* (Du,) dessen Kindsmagd die Herrin von Arbela ist, fürchte dich nicht!
31* Wie eine Kindsmagd trage ich dich auf meiner Hüfte,
32* als einen *šukurru*-Anhänger setze ich dich zwischen meine Brüste.
33* Des Nachts wache ich,
34* beschütze ich dich.
35* Jeden Tag gebe ich dir Milch.
36* Jeden Morgen merke ich mir deine Gebete,
37* merke (sie) mir
38* und erfülle (sie) dir.
39* Du, fürchte dich nicht, mein Junges, das ich aufziehe!

Deutlich ist in diesem Textausschnitt, daß Mullissu sich hinsichtlich ihrer Funktion für den König von Ištar von Arbela abhebt (Satz 30*), die sie als die "Kindsmagd" (*tārītu*) Assurbanipals bezeichnet. Anderseits dürften die Tätigkeiten, die in den Sätzen 33*-38* beschrieben werden, in Familien der assyrischen Oberschicht nicht ohne weiteres mütterliche, sondern eher solche der Kindsmagd gewesen sein, so daß der Vergleich von Satz 31* ("wie eine Kindsmagd") sich höchstwahrscheinlich auch auf das folgende bezieht. Das würde bedeuten, daß die "Mutter" Mullissu sich ihrem "Kind" Assurbanipal in einem solchen Maße fürsorglich zuwendet, daß sie "sogar" die Aufgaben übernimmt, die sonst der Kindsmagd aufgetragen sind. In diesen Zusammenhang fügt sich auch gut die Anrede an den König in Satz 39* als *mūrī* "mein Junges" ein, die sich auch noch in K 4310 L 3* (V 29f.) und K 12033+ IV 20′ findet. *Mūru* bezeichnet von Hause aus ein Tierjunges (von Esel, Pferd und Rind) und dürfte hier ein Kosewort sein, das bei Müttern und Ammen gebräuchlich war.

Singulär ist die Selbstvorstellung Ištars von Arbela als "Hebamme" (*sabsubtu*) Asarhaddons in K 4310 H 4* (III 15′f.).

Im selben Text nennt Ištar von Arbela sich auch die "gute Amme" (*mušēniqtu dēqtu*) des Königs (K 4310 H 5* [III 17′f.]). Dieselbe Vorstellung erscheint im Rahmen einer verdeckten Metapher auch in dem bereits zitierten Text K 1285 G 1*-5* (32-34). Hier ist es Nabû, der sich anscheinend als der "Vater" Assurbanipals versteht, der sein "Kind" der "Königin", d.h. Ištar, "von Nineve" zum Nähren übergeben hat. Die vier Brüste der Göttin kann ich sonst nicht belegen; vielleicht soll die Vierzahl nur die Fülle des Segens ausdrücken, den der König von der Gottheit empfangen hat. Vom Säugen handelt eventuell auch K 883,35* (23) (s.o.), wo die "Mutter" Mullissu die Rolle der "Kindsmagd" übernommen hat.

In den Bildbereich "Kindsmagd" gehört m.E. auch die Aussage einer Göttin in K 1292+,17*f. (Vs.18f.):

17* Meine Hüften sind festgefügt,
18* heben sich dir immer wieder entgegen.

Auf den ersten Blick könnte man denken, daß diese Worte eine erotische Bedeutung haben. In Wirklichkeit dürfte es sich aber um eine verdeckte Metapher handeln, die in einen anderen Bereich führt. M.E. beschreibt die Sprecherin ihre Hüften als geeignet (Satz 17*) und bereitwillig (Satz 18*), den als Kind vorgestellten König aufzunehmen. Dahinter steht die aus K 883,31* (21) erkennbare Weise, wie die assyrische Kinderfrau das Kleinkind zu tragen pflegte: auf der Hüfte. Das bedeutet, daß die Göttin auch hier ihre Fürsorge für Leben und Wohlsein des Königs unter dem Bilde einer Kindsmagd faßt. Wer allerdings die sprechende Gottheit ist, ist unklar. Das hängt mit dem eigentümlichen Charakter des Prophetenspruchs der KAL-ša-āmur aus Arbela zusammen, der auf der Einzeltafel K 1292+ überliefert ist. In der Einleitung des Spruches (Sätze 1*-5* [Vs. 1-7]) werden Mullissu und Ištar von Arbela (letztere nur unter dem Epitheton ^{d}*bēlet A[r]ba'ili* "Herrin von Arbela") nebeneinander genannt. Was über die beiden Göttinnen ausgesagt wird, steht dementsprechend im Dual. Das wird anders, sobald die direkte Rede an den Adressaten, den König Assurbanipal, einsetzt (Sätze 6*ff. [Vs. 8ff.]): völlig unerwartet spricht nun eine Stimme in der 1. Person Singular. Wahrscheinlich ist die Alternative Mullissu oder Ištar von Arbela falsch gestellt. Man hat vielmehr den Eindruck, daß hier die beiden Göttinnen vor den Ohren des Hörers bzw. vor den Augen des Lesers zu einer einzigen verschmelzen, wie ja auch Mullissu und Ištar von Nineve in neuassyrischer Zeit gelegentlich identifiziert worden sind[15].

2.3. *Naturbilder*

Weniger einheitlich als die Gruppe der Mutter- und Ammenbilder ist die der Naturmetaphern und -vergleiche.

Sie lassen sich zunächst aufteilen in solche, die aus der belebten, und solche, die aus der unbelebten Natur genommen sind. Unter ersteren finden wir vor allem Tiere, so den Palasthund, den Iltis, die Ratte[16], den Vogel, vielleicht die Maulwurfsgrille, Wespen, Libellen und Schmetterlinge; daneben kommen auch Pflanzen und ihre Früchte vor: Äpfel, Getreide, Rosen und Dorngestrüpp. Aus der unbelebten Natur ist der Wind und vielleicht das Grundwasser zu nennen.

Die Mehrzahl der Naturbilder der neuassyrischen Propheten steht für die Feinde des Königs. Nur einige wenige charakteri-

15 MENZEL 1981: I 64f.116.
16 Zu "Iltis" (*kakkišu*) und "Ratte" (*pušḫu*) siehe LANDSBERGER 1965: 48 Anm. 84.

sieren die fürsorgliche oder helfende Gottheit und gehören so in die Nähe der oben behandelten Mutter- und Ammenbilder.

Besonders schön ist das in K 12033+ C 8*-10* (II 6′-8′) beschrieben:

> (8*) Wie ein geflügelter Vogel üb[er seinen Jungen] gurre ich über dir, (9*) kreise, (10*) laufe ich um [dich her]u[m].

Hier vergleicht sich Ištar von Arbela gegenüber Asarhaddon zunächst mit einem "geflügelten Vogel", der gurrend seine Jungen unter seinem Gefieder versammelt hat und sie so vor äußerer Bedrohung schützt, sodann wahrscheinlich mit einem Vogel, der durch auffälliges Herumlaufen einen möglichen Feind von seinen Jungen ablenken will. Beides sind gut beobachtete Verhaltensweisen vor allem von Bodenbrütern, die der Prophet Lā-dāgil-ile in den Hühnerhöfen von Arbela, aber auch in der freien Natur kennengelernt haben könnte. Im selben Prophetenspruch vergleicht sich Ištar gleich anschließend (Satz 11* [II 9′f.]) mit einem "guten Hündchen" (*mīrānu damqu*), das im Königspalast umherläuft. Das Bild zeigt, daß man im Palast Hunde gehalten und, wie wir gleich sehen werden, aufgezogen hat. Es läßt ferner erkennen, daß der bei uns viel strapazierte Topos vom "treuen Hund" auch den alten Assyrern bekannt war. Beides ist in einem Passus der Annalen Sanheribs enthalten, wo die Einsetzung des Bēlibni zum Vasallenkönig von Babylon mit den folgenden Worten beschrieben wird: "Bēlibni ..., der wie ein junges Hündchen (*mīrānu ṣaḫru*) in meinem Palast aufgewachsen war, setzte ich in die Königsherrschaft von Akkad und Sumer über sie ein."[17]

Sprachlich schwierig ist der Abschnitt K 833,24*-28* (17-19):

> 24* *Ḫallalatti enguratti*!
> 25* Du wirst sagen:
> 26* Was (bedeutet) *ḫallalatti enguratti*?
> 27* *Ḫallalatti* werde ich das Land Ägypten betreten,
> 28* *enguratti* werde ich (wieder) herauskommen.

Der Text sei hier nur der Vollständigkeit halber erwähnt, da die Deutung der unübersetzt gelassenen Ausdrücke *ḫallalatti engur(r)atti* nicht gesichert ist. W.VON SODEN erklärt *ḫallalat-*

17 LUCKENBILL 1924: 54,54. 57,13; vgl. BORGER 1979: 70 I 42/43 Var.

ti als adverbielle Bildung von *ḫallulāya* u.ä. "Maulwurfsgrille" und übersetzt entsprechend "nach Art einer/wie eine Maulwurfsgrille"[18]. Für das bildungsgleiche *engur(r)atti* lehnt er eine Ableitung von *engurru* "Grundwasser" ausdrücklich ab[19]. Daß es sich bei *engurru* um ein Lehnwort aus sum. e n g u r handelt, muß m.E. nicht gegen die Möglichkeit sprechen, davon ein Adverb auf *-atti* zu bilden, zumal ein Wort mit der Bedeutung "nach Art des Grundwassers" auch inhaltlich hier nicht schlecht paßte. Sollte die Interpretation richtig sein, vergliche die Göttin Mullissu ihr Eindringen in Ägypten, wohl um Assurbanipal den Weg zu bereiten, mit dem unterirdischen - und das heißt heimlichen - Eindringen der Maulwurfsgrille und des Grundwassers etwa in einen verschlossenen Garten[20].

In einigen Texten treten die Feinde in Metapher und Vergleich als Insekten auf, die zermalmt oder eingesammelt werden:

K 883,23* (16) (Mullissu zu Assurbanipal)
Die Wespen verwandle ich in Brei.

K 1285 G 7* (36) (Nabû zu Assurbanipal)
Wie Libellen (?)[21] im Frühjahr werden sie immer wieder von deinen Füßen zermahlen werden.

K 2401 F 6* (III 22'f.) (Ištar von Arbela zu Asarhaddon)
Habe ich nicht deine Hasser, deine Widersacher [wie Schme]tterlinge eingesammelt?

Umstritten ist die grammatikalische und inhaltliche Interpretation der Stelle K 4310 J 2* (IV 3-7), an der eine namentlich unbekannte Gottheit über die Feinde Asarhaddons zur Königinmutter sagt:

18 VON SODEN 1936: 262 Anm. 1; 1939: 63f.; 1977: 235f.; AHw: 1558[b] s.v. *ḫallālāniš*. Zeitweilig war VON SODEN jedoch anderer Meinung: Vgl. VON SODEN 1954: 341 Anm. 1; AHw: 312[a] s.v. *ḫallālāniš*.

19 VON SODEN 1939: 64.

20 *ḫallālāniš*, nach VON SODEN eine andere adverbielle Bildung von *ḫallulāya* etc. (siehe Anm. 18), wird in Königsinschriften gebraucht, um auf drastische Weise die Flucht eines geschlagenen Feindes zu beschreiben: *Ramateya ša māt Arazi[aš...] šū ḫallālāniš ipparšidma mamma lā ēm[uršu* ...] "Ramateya vom Land Arazi[aš...] Besagter floh wie eine Maulwurfsgrille, sodaß niemand [ihn] (mehr) s[ah]". (ROST 1893: 10,44f.); Merodachbaladan II. *kīma šikkê ḫallālāniš abul ālīšu ērub* "betrat wie ein Mungo, wie eine Maulwurfsgrille das Tor seiner Stadt" (LIE 1929: 60, 412). Erstere Stelle ließe sich hinsichtlich des *tertium comparationis* mit K 883,24*-28* vergleichen; an letzterer steht hinter dem Bild wohl

Die Iltisse, die Ratten, die (verleumderisch) reden, zerschneide ich vor seinem (*scil.* des Königs) Füßen.

Wenn die in der Übersetzung ausgedrückte Auffassung der Stelle[22] richtig sein sollte, wären Iltis (*kakkišu*) und Ratte (*pušḫu*) hier pejorative Metaphern für - vor allem wohl innere - Feinde des Königs.

Auch die Pflanzenbilder stehen für Gegner und Feinde. Drastisch werden in K 4310 C 3* (I 8′-10′) die besiegten Widersacher mit "reifen Äpfeln" verglichen, die "vor den Füßen" Asarhaddons "umherrollen". Plastische Bilder der Vernichtung sind auch das Zerbrechen von Dorngestrüpp und das Zerpflücken einer Rosenblüte in K 883,21*f. (15).

Auf dem Wasser schwimmende und von ihm fortgetragene Getreidekörner bilden in K 1285 G 6* (35) das Schicksal der innenpolitischen Gegner Assurbanipals ab: "Deine Neider, Assurbanipal, werden wie *sēpu*-Getreide auf dem Wasser davonfliegen." Im Hintergrund des Vergleichs steht höchstwahrscheinlich die Vorstellung von Hochwasser, das einen Haufen gedroschenen Getreides, sei es auf der Tenne oder in einem Vorratslager, erfaßt und mit sich fortreißt. Das Bild ist freilich nicht ganz durchgehalten, da für die rasche Beseitigung der Feinde die Metapher des "Davonfliegens" gebraucht ist, die zum Treiben auf der Wasseroberfläche nicht recht passen will. Man darf aber *sēpu* deswegen nicht zur Bezeichnung einer Insektenart machen wollen[23]; denn das Bild stimmte auch dann nicht. Zudem handelt es sich bei *sēpu* sicher um eine Getreideart, da man daraus Brot bäckt[24].

Daß auch der heftig wehende Wind als Metapher für die Feinde verwendet wird, ist uns geläufig, sprechen wir doch selbst wie die Assyrer von ihrem Anstürmen. In K 4310 C 2* (I 6′f.)

das rasche Verschwinden der Maulwurfsgrille in ihrem Loch.

21 *burbillāte*, *hapax legomenon*; vgl. LANDSBERGER 1949: 258 Anm. 51.

22 Ich folge hier der Auffassung von LANDSBERGER (*kakkišāti*, *pušḫāti* Plurale von *kakkišu*, *pušḫu*); siehe oben Anm. 16.

23 So UNGNAD 1921: 182 und noch CASTELLINO 1977: 459.

24 Das Wort ist außerhalb unserer Stelle nur in der Verbindung *akal sēpi* "*sēpu*-Brot" belegt; siehe AHw: 1036f. s.v. *sēpu*.

gebraucht Ištar von Arbela das Bild in einem Rückblick auf ihr früheres Heilshandeln an Asarhaddon:

> [W]as[25] für einen Wind (gab es), der gegen dich anstürmte, dessen Flügel ich nicht gebrochen habe?

Der Wind wird im Alten Orient geflügelt vorgestellt, in Ägypten ebenso wie in Mesopotamien und in Israel[26]. Der Adapa-Mythos zeigt, was geschieht, wenn man die Flügel des Windes zerbricht: er hört auf zu wehen[27]. So kommt im Bilde der Ansturm der Feinde zum Erliegen.

2.4. *Verschiedenes*

Abschließend sind noch einige Bilder zu besprechen, die sich in die behandelten Kategorien nicht einfügen lassen.

In K 883,32* (22) verspricht die Göttin Mullissu dem König Assurbanipal Geborgenheit, indem sie ihn als *šukurru* bezeichnet, den sie sich zwischen ihre Brüste "setzt". Ein *šukurru* ist normalerweise eine Waffe, eine Lanze oder ein Speer; man bezeichnet damit jedoch auch, wohl nach der Form, ein Schmuckstück, das man sich aufgrund unserer Stelle wohl an einem Band um den Hals getragen vorzustellen hat. Wie der *šukurru*-Anhänger gleichsam geborgen zwischen den Brüsten der Gottheit hängt, so soll auch der König bei ihr in Sicherheit sein.

Die übrigen Bilder könnte man *faute de mieux* unter dem Oberbegriff "Gerätschaften" zusammenfassen.

In der Selbstprädikation der Ištar von Arbela gegenüber Asarhaddon, "In der Stadt Arb[e]la bin i[ch] dein guter Schild" (K 4310 H 23* [IV 18f.]), ist die Metapher des Schildes für die schützende Göttin unmittelbar einsichtig.

Schwieriger ist die Auslegung der Stelle K 4310 H 19* (IV 11-13), die oben bei der Behandlung des gesamten Königsorakels K 4310 H bereits kurz angesprochen worden ist:

25 Siehe WEIPPERT, M. 1981: 81f. Anm. 17.
26 Ägypten (Spätzeit): A.GUTBUB bei KEEL 1977: 328-353. - Mesopotamien: Adapa B 5.6.11f.35f.48f. (PICCHIONI 1981: 114.116.118); D 13 (*ibid.*: 122). - Israel: 2.Sam 22/Ps 18,11; Hos 4,9; Ps 104,3.
27 Adapa B 5-12 (PICCHIONI 1981: 114.116).

Asarhaddon, der König des Landes Assyrien, ist eine Trinkschale voll Soda, ein *kalappu* mit zwei Schneiden.

Der hier mit "Soda" übersetzte Ausdruck *qīltu* ist nach VON SODEN[28] eingentlich Benennung "eines Sodakrautes", dessen genauere Spezies unbekannt ist. Über den Sinn der Metapher sind daher nur Vermutungen möglich. Der Kontext der Stelle legt nahe, daß mit den Bildern der Sodaschale und des *kalappu* die Effektivität des Königs umschrieben werden soll, wahrscheinlich in der Auseinandersetzung mit seinen Widersachern. Vielleicht ist gemeint, daß die Trinkschale den Absud eines "Sodakrautes" enthält, und daß es sich dabei um ein giftiges Getränk handelt. Das Wort *kalappu* wird gewöhnlich mit "Hacke, Picke" übersetzt. Der *kalappu* ist nach den Textstellen, an denen etwas über seinen Einsatz gesagt wird, keine Waffe, sondern ein Werkzeug[29]. In den Händen der Pioniere der assyrischen Armee dient es neben der Haue (*akkullu*) dazu, in felsigem Gebirgsgelände die Wege für das Vorrücken der Streitwagentruppe und der Infanterie herzurichten, die Dachbalken eines demolierten Palastes vor dem Abtransport zu bearbeiten und die Obstbäume eines besiegten Fürsten zu fällen. Als Lehnwort kommt der Ausdruck in der Form כֵּילַפּוֹת auch einmal im Hebräischen des Alten Testaments in Psalm 74,6 vor, wo es um die Zerstörung des Tempels von Jerusalem durch die babylonische Armee (586 v.Chr.) geht. Zum Schleifen von Gebäuden verwendeten die assyrischen (und wohl auch die babylonischen) Soldaten gerne die Beilhacke, eine Kombination von Axt und Hacke (mit über Kreuz stehenden Schneiden)[30], so daß es naheliegt, daß dieses Gerät mit *kalappu* gemeint ist. Das erklärt auch das Attribut "mit zwei Schneiden"[31],

28 AHw: 921[a] s.v. *qiltu* III; vgl. THOMPSON 1949: 35. Anders LANGDON 1914: 131: "gifts" (*qīš/ltu*), m.E. im Zusammenhang gar nicht passend.
29 AHw: 424[a] s.v.; SALONEN 1965: 127.
30 Vgl. z.B. BM 124919 (Assurbanipal; HALL 1928: Taf. XLVI; GADD 1936: Taf. 43; BARNETT-LORENZINI 1975: Taf. 165); BM 124928 (Assurbanipal; HALL 1928: Taf. XL; BARNETT-LORENZINI 1975: Taf. 177). - Zur Beilhacke siehe WEIPPERT, H. 1977.
31 Der mit "Schneide(n)" übersetzte Ausdruck *pāšu* bedeutet eigentlich "Axt"; an eine "Doppelaxt mit gegenständigen parallelen Schneiden ist aber aus archäologischen Gründen nicht zu denken.

das sich bei dieser Erklärung freilich als pleonastisch herausstellt, in K 4310 H 19* (IV 13). Dunkel bleibt, welche konkrete Vorstellung hinter der Metapher "Beilhacke" für den König von Assyrien steht.

3. Parallelen

3.1. *Fragestellungen*

Versucht man, die Bildsprache der neuassyrischen Prophetensprüche mit der der zeitgenössischen Literatur des Zweistromlandes in Beziehung zu setzen, stößt man rasch an Grenzen. Man gewinnt den Eindruck, daß die von den Propheten verwendeten Bilder im 7. Jahrhundert in Assyrien und Babylonien zu einem guten Teil *sui generis* sind. Dies mag man auf die allgemeine Quellenlage zurückführen, aufgrund derer uns nur bestimmte Textgattungen bekannt sind. Da aber auch die älteren Textzeugnisse wenig wirkliche Parallelen liefern, dürften auch noch andere Faktoren eine - vielleicht ausschlaggebende - Rolle spielen. Besonders auffällig ist, daß die Metaphern und Similes der gleichzeitigen Königsinschriften[32] kaum Berührungen mit denen der prophetischen Orakel aufweisen, und zwar selbst dann, wenn Bedeutung und Funktion durchaus vergleichbar wären. Angesichts der tiefen Verwurzelung beider Textgruppen in der assyrischen Königsideologie und ihrer Nähe zum Königtum wären hier am ehesten Parallelen zu erwarten. Ihr Fehlen dürfte seinen Grund jedoch in gattungsspezifischen Unterschieden und in der Verschiedenheit des Trägerkreises der jeweiligen Literaturgattungen haben. Zu fragen ist freilich, ob diese Erklärung ausreicht.

Im folgenden sollen die mir bekannten Parallelen angeführt und besprochen werden. Angesichts der skizzierten Situation beschränkt sich die Untersuchung allerdings nicht auf die mesopotamischen Textzeugnisse, sondern greift darüber hinaus. Die Suche nach Parallelen ist dabei nicht Selbstzweck. Sie dient der genaueren Erfassung des Sprachgebrauchs der neuassyrischen Prophetie. Die Ergebnisse lassen sich eventuell auch für die Erhellung des sozialen Hintergrunds der Propheten und der Her-

32 Siehe SCHOTT 1926, und zu einem Teilbereich MARCUS 1977.

kunft des Phänomens der Prophetie in Assyrien überhaupt fruchtbar machen. Das folgende kann freilich nur ein erster Versuch sein, dessen Resultate durch gezielte Weiterarbeit auf ein festeres Fundament gestellt, präzisiert, gegebenenfalls auch modifiziert und korrigiert werden müssen.

3.2. *Mutter- und Ammenbilder*

Aussagen, daß eine bestimmte Göttin die Mutter eines regierenden Fürsten sei, kommen im Zweistromland von der Frühdynastischen bis zur Altbabylonischen Zeit vor, freilich nicht besonders häufig. So spricht Eanatum von Lagaš von "[meiner] Mutter Ninḫursaga"[33]. Lugalanda von Lagaš nennt eine von ihm gestiftete Statue "Nanše ist die Mutter des Lugalanda"[34], ähnlich sein Nachfolger Uruinimgina ein unbekanntes Weihgeschenk "Baba ist die Mutter des Uruinimgina"[35]. Für Gudea von Lagaš ist Nanše[36], für Sînkašid von Uruk Ninsuna[37] seine "Mutter". Als "die Mutter, die mich geschaffen hat" bezeichnet Ḫammurapi von Babylon die Göttin Nintu[38], sein Sohn Samsuilūna die mit jener letztlich identische Ninmaḫ[39]. Der neubabylonische Herrscher Nebukadnezar II. nimmt daher wohl bewußt altbabylonischen Sprachgebrauch auf, wenn er mehr als tausend Jahre später das Epitheton wieder auf dieselbe Gottheit (DINGIR.MAḪ/*Bēlet ilī*) anwendet[40]. Bei letzterem kommt auch die Bezeichnung "die Mutter, die mich gebar" für Erua (= Zarpanītu), die Gemahlin des babylonischen Hauptgottes Marduk, vor[41], die vor ihm bereits Assurbanipal in seinem Hymnus auf Ištar von Nineve

33 ama[-mu] ^{d}nin-ḫur-saga(-...) Geierstele XVIII 8f., STEIBLE-BEHRENS 1982: I 133; vgl. SOLLBERGER-KUPPER 1971: 51.
34 ^{d}nanše ama-lugal-an-da, DEIMEL 1928: 37 Nr.20.
35 ^{d}ba-ba$_{6}$ ama-uru-inim-gi-na-ka, STEIBLE-BEHRENS 1982: I 351 Ukg. 42,1; vgl. SOLLBERGER-KUPPER 1971: IC11g.
36 Cyl. A (THUREAU-DANGIN 1925: Taf. I-XXX) I 29. III 25 (THUREAU-DANGIN 1907: 90.92); vgl. ama-ni ^{d}nanše "seine Mutter Nanše" *ibid.* V 11 (THUREAU-DANGIN 1907: 94).
37 Weihung ^{d}lugal-bàn-da-dingir-ra-ni-ir ^{d}nin-suna-ama-a-ni-ir "dem Lugalbanda, seinem Gott, (und) der Ninsuna, seiner Mutter" THUREAU-DANGIN 1907: 222 c 1-4.
38 *ummum bānītī* CḪ LI (Rs. XXVIII) 43.
39 (*ana* ^{d}nin-maḫ) *ummim bānītīya* (gen.) VS 1,33,43 (II 15).
40 (*ana Bēlet ilī* (DINGIR.MAḪ)) *ummi bānītīya* (gen.) LANGDON 1912: Nbk. 15 IV 16.
41 (^{d}*Erua šarratum*) *umma ālittīya* (nom.) CT 37,20,59.

und Ištar von Arbela K 1290 ersterer Göttin beigelegt hatte[42].

Wie das Mutter-Epitheton findet sich auch seine "Umkehrung", wie es scheint, fast ausschließlich im 3. und zu Beginn des 2. Jahrtausends, d.h. von der Frühdynastischen bis zur Altbabylonischen Zeit, im südlichen Zweistromland: dort bezeichnen sich Fürsten des öfteren als "Söhne" bestimmter weiblicher Gottheiten. Das Material aus sumerischen und akkadischen Texten hat M.-J.SEUX übersichtlich zusammengestellt[43], so daß es hier nicht *in extenso* ausgebreitet werden muß.

In den Mutter- und Sohn-Epitheta der genannten Art könnte man Hinweise auf die "Göttlichkeit" des mesopotamischen Königtums im Sinne einer physischen Abstammung der Könige von den Göttern sehen. Diese Meinung wäre freilich von vorneherein mit der Schwierigkeit belastet, daß in einigen Fällen ein und derselbe König mehrere Göttinnen ausdrücklich oder umschreibend als seine Mutter bezeichnet[44]. Dabei könnten jeweils verschiedene Tempeltraditionen zugrundeliegen[45], die man nicht im Widerspruch miteinander befindlich verstand; doch auch so ist mir eine andere Erklärung als die der physischen Mutterschaft wahrscheinlicher. Dafür bietet sich eine Passage aus dem Zylinder A Gudeas von Lagaš (III 6-10) an, in der der Fürst die Göttin Gatumdu folgendermaßen anredet[46]:

Eine Mutter habe ich nicht: meine Mutter bist du.
Einen Vater habe ich nicht: mein Vater bist du.
Meinen Samen hast du empfangen, hast mich im Allerheiligsten geboren.
Gatumdu, dein heiliger Name ist süß;
du bist für mich in der Nacht dagelegen.

42 ^{d}*Bēlet* ^{uru}*Ninâ ummu ālittīya* "die Herrin von Nineve, die Mutter, die mich gebar" VON SODEN 1974/77: 47,38. Parallel dazu findet sich *ibid.*: 40, ^{d}*Bēlet* ^{uru}*Arbaʾili bān[īt]īya* "die Herrin von Arbela, die mich sch[uf]". Vgl. auch "Mullissu, die Mutter der großen Götter, zog mich wie eine le[i]blic[h]e Mut[ter] (*kīma um[mi] āl[i]t[t]i* wie eine Mutter, die geboren hat) in ihrer freundlichen Armbeuge groß", Assurbanipal, "Große Jagdinschrift" Vs. 18 (BAUER 1933: 87).

43 SEUX 1967: 159f. s.v. *māru*. 392-395 s.v. d u m u; vgl. auch SJÖBERG 1966: 287-290; 1972.

44 Vgl. LABAT 1939: 55f.

45 Siehe SJÖBERG 1972: 108-111.

46 Übersetzung: FALKENSTEIN 1966: 2.

Aus dieser Stelle und einigen Aussagen Gudeas mit ähnlicher Tendenz hat A.FALKENSTEIN, freilich unter Vorbehalt, den Schluß gezogen, daß Gudea, der nie seine menschlichen Eltern erwähnt, sich tatsächlich als leiblicher Abkömmling der Göttin verstanden habe, und zwar, weil er einem *hieros gamos* entsprossen sei, bei dem eine n i n - d i n g i r -Priesterin der Gatumdu die Göttin vertreten habe[47]. Dagegen spricht aber, daß die Göttin nicht zugleich physische Mutter und physischer Vater des Fürsten sein kann, wenn die Vorstellung noch in sich schlüssig sein soll, und daß Gudea auch die Göttin Nanše mit dem Epitheton "Mutter" bedenkt[48]. Aus den Zeilen 6f. des Textes geht m.E. mit Sicherheit hervor, daß es sich hier und in anderen Fällen um Vertrauensaussagen handelt, die das intime Verhältnis zwischen den Fürsten und den Göttern zum Ausdruck bringen sollen. Ihre Form ist dann die (z.T. erweiterte) Metapher. Inhaltlich gehören sie in den Vorstellungsbereich der göttlichen Erwählung des Königs und hängen wahrscheinlich auch mit der besonderen Rolle zusammen, die die Götter bei der Formung des zukünftigen Herrschers im Leibe seiner Mutter spielen.

Mit der zitierten Passage aus dem Zylinder A Gudeas lassen sich auch viel jüngere Textstellen vergleichen, die mit den neuassyrischen Prophetien gleichzeitig sind. Bei ihnen ist jedoch der Akzent insofern verschoben, als nun das Bild der physischen Mutter von dem der Ziehmutter oder Kinderfrau abgelöst worden ist.

So sagt Assurbanipal in der Einleitung eines Klagegebets an Mullissu[49]:

> Mullissu, die dem Heil und Leben gibt, der ihren Ort aufsucht!
> [I]ch bin dein Diener Assurbanipal, den deine Hände geschaffen haben,
> vater- und mutter[l]os, den du großgezogen hast, meine erhabene Herrin.
> [In] deiner leben(bewahrenden) [Armbeu]ge hast du mich geschützt, meinen Lebenshauch bewacht.

47 FALKENSTEIN 1966: 2f.
48 Siehe oben S. 71 mit Anm. 36.
49 K 3515 Vs. 15′-18′ (LANGDON 1927: Taf. XIII; SIDERSKY 1929: 778; nicht kollationiert):
15′ [d]*Mullissu nādinat šulmu u balāṭu ana mušte''û ašrīša*
16′ *[a]nāku uradki* I*Aššur-bān-aple ša ibnâ qatāki*
17′ *[š]a lā abi u ummi ša turabbî šaqûtu bēltī*
18′ *[ina kirim]mīki ša balāṭe taḫtininni taṣṣurī napištī*

Oder in einem Hymnus an Ištar von Nineve und Ištar von Arbela[50]:

Ich kannte nicht Vater noch Mutter;
ich bin aufgewachsen auf dem Schoß meiner Göttinnen.
Die großen Götter haben mich geführt wie ein kleines Kind.
Zur Rechten und zur Linken haben sie mich unablässig geleitet.

Deutlich beziehen sich diese Aussagen auf die Fürsorge der angesprochenen Göttinnen und weiterer Gottheiten für den König von seiner Kindheit an, der gegenüber die seiner menschlichen Eltern in Bedeutungslosigkeit versinkt. Deshalb ist es nicht zufällig, daß das Mutterbild sich in Schutzaussagen und in Hinweisen auf das frühere heilvolle Handeln der Götter am König findet: da ist es sachlich zu Hause.

Analoges gilt auch von den Bildern der göttlichen Amme und Kinderfrau, die in den Orakeln in denselben Zusammenhängen vorkommen, und die bereits in den Zitaten aus Gebeten Assurbanipals angeklungen sind. Die traditionsgeschichtliche Nachfrage fördert auch hier ähnliche Ergebnisse zu Tage wie beim Bild der göttlichen Mutter: Aussagen über Göttinnen als Nährmütter des Herrschers lassen sich in Mesopotamien vor den neuassyrischen Prophetensprüchen nur für die Frühdynastische Zeit nachweisen.

Besonders schön kommt diese Vorstellung in der "Geburtslegende" des Stadtfürsten Eanatum von Lagaš zum Ausdruck, die sich in der "Geierstele" findet[51]:

[N]in[gir]su [ha]t E[a]natum gezeugt.
[Ninḫursaga hat ihn geboren.]
[Über Eanatum] hat [Ninḫur]s[aga] sich gefreut.
Inana hat ihn bei der Hand ergriffen.
'Für das Eana der Inana des Ebgal ist er geeignet' hat sie ihn mit Namen genannt.
Der Ninḫursaga hat sie ihn auf ihre rechten[52] Knie gesetzt.

50 K 1290,13-16 (VON SODEN 1974/77: 46):
13 *ul ide aba u ummi*
14 *ina burkī ᵈištarātīya arbâ anāku*
15 *ittarrunnīma ilānu rabûtu kīma laʾê*
16 *imni u šumēli ittallakū ittīya*
Vgl. auch Assurbanipals "Große Jagdinschrift" Vs. 18 (oben S. 72 Anm. 42). 24f. (BAUER 1933: 87).

51 Geierstele IV 9-V 17 (STEIBLE-BEHRENS 1982: I 122f.).

52 "Recht" übersetzt hier und im folgenden sum. z i (d) "recht, richtig".

Ninḫursaga hat [ihn] aus ihren rechten Brüsten [genährt.][53]
Über Eanatum, der von Ningirsu gezeugt worden war, hat Ningirsu sich gefreut.
Ningirsu hat ihn mit seiner Handspanne gemessen;
5 Ellen hat er ihn mit seiner Elle gemessen:
5 Ellen und eine Handspanne!
Ningirsu [hat] aus großer Freude das [Kö]nig[tum von Lagaš ihm gegeben.]

Dieser Text könnte als Beleg dafür gelten, daß Eanatum von Lagaš sich von göttlichen Eltern herleitete[54]. Wahrscheinlich handelt es sich aber auch hier um eine Bildrede, die die göttliche Erwählung des Eanatum zum Herrscher von Lagaš und seine Ausstattung für die ihm bestimmte Aufgabe, Umma niederzuwerfen, schildert. Die Formulierungen sind hier allerdings tatsächlich sehr "konkret"; doch sollte schon die von Ningirsu durch Messen festgestellte Übergröße des künftigen Fürsten von ca. 2 1/2 Metern davon abhalten, sich den Bezug der Textaussagen auf die Realitäten allzu direkt vorzustellen[55]. In der Ergänzung der Textlücke in IV 13f. folge ich der Auffassung von Th.JACOBSEN (früher) und E.SOLLBERGER-J.-R.KUPPER, die Ninḫursaga als die göttliche "Mutter" Eanatums ansehen[56]; das paßt auch zu den Zeichenspuren in IV 16[57], wo von der Freude der "Mutter" über ihr "Kind" die Rede ist. Die Namengebung[58] des zum Herrscher bestimmten Kindes vollzieht Inana, die es auch seiner "Mutter" auf die Knie setzt[59], worauf Ninḫursaga es an die Brust nimmt

Nach der von SJÖBERG 1972: 88 Anm. 1; COOPER 1974: 415, zitierten Passage aus "Enmerkar und Ensuḫkešdana" könnte eventuell aber auch "rechts, rechte Seite" gemeint sein (dort Z. 94f. ubur-zi-da-ni "ihre rechte Brust" :: ubur-gùb-bu-ni "ihre linke Brust").

53 IV 27-29 lies m.E. ^{d}nin-ḫur-saga-ke$_{4}$ ubur-zi-da-ni m[u-ni-kú]. Der Ergänzungsvorschlag von COOPER 1974: 415, m[u-na-lá] ändert am Sinn der Stelle nichts.

54 So SJÖBERG 1966: 288; PETTINATO 1970: 207f.

55 Vgl. die verschiedenen Erwägungen bei JACOBSEN 1976: 252 Anm. 19.

56 JACOBSEN 1943: 120f.; SOLLBERGER-KUPPER 1971: 48. Ergänzung: [^{d}nin-ḫur-saga-ke$_{4}$ î-tu]. Anders SJÖBERG 1972: 89 ([^{d}ba-ba$_{6}$ î-tu]); vgl. JACOBSEN 1976: 251, der in IV 16 [ama ^{d}ba]-b[a$_{6}$] "die Mutter Baba" und in IV 13 entsprechend [^{d}ba-ba$_{6}$] ergänzt. Die Ergänzungen hätten den Vorteil, daß Baba die Gemahlin Ningirsus ist; sie passen m.E. aber schlecht zu den Zeichenspuren in IV 16 (s. Anm. 57).

57 Siehe SOLLBERGER 1956: 10.

58 IV 20-23. é-an-na-^{d}inana-eb-gala$_{8}$-ka-ka-a-túm ist die Vollform des Namens, der abgekürzt é-an-na-túm lautet; vgl. zum Namen des Fürsten STEINER 1975/76: 19 mit Anm. 43 (Lit.); STEIBLE-BEHRENS 1982: II 35 Nr. 23 (Lit.).

und säugt. Ningirsu, der göttliche "Vater" Eanatums, konstatiert schließlich mit Freuden, daß sein "Sohn" das Format hat, das Königtum von Lagas auszuüben.

Wie hier als nährende "Mutter" Eanatums erscheint Ninḫursaga sonst als Amme künftiger Herrscher in der Formel "der die rechte[60] Milch der Ninḫursaga getrunken hat" (g a - z i - k ú - a - - ^{d}n i n - ḫ u r - s a g a - k a), die für Eanatum und Entemena von Lagaš, Lugalzagesi von Uruk und den ephemeren Puzurmama von Lagaš belegt ist[61]. Lugalzagesi nennt sich auch "Zögling der Ningirim, der Herrin von Uruk" (s a g - á - è - ^{d}n i n - g i r i m$_{x}$ (A.BU.ḪA.DU) -n i n - u n u g^{ki} - g a - k a)[62]. Nach Puzurmama, dessen Zeitstellung nicht sicher zu bestimmen ist (Ende der Akkadzeit/Beginnphase der Neusumerischen Periode?), ist der Topos der göttlichen Amme des Königs nicht mehr bezeugt bis zu seinem Wiederauftauchen in den neuassyrischen Prophetensprüchen. Nachweisen läßt er sich in der Zwischenzeit noch einmal in Syrien, und zwar im ugaritischen Epos von Kurit ("Keret"). In einem Geburtsorakel anläßlich der Hochzeit des Königs Kurit[63] mit Ḫurriya, der unter Androhung militärischer Gewalt heimgeholten Tochter des Königs *Pbl*, sagt dort der Gott El[64]:

> Die F[rau, die du nimm]st, Kurit,
> die Frau, die du in dein Haus nimmst,
> das Mädchen, das du in deinen Hof eintreten läßt,
> wird dir sieben Söhne gebären,
> ja acht wird sie dir schenken.
> Gebären wird sie den Knaben Yaṣṣib,
> der die Milch der ʾA[ṯ]irat saugen,
> der sich an den Brüsten der Jungfrau [^{c}Anat] gütlich tun wird,
> der Amme[n der Götter...]

59 Einen Adoptivakt (so PETTINATO 1960 : 208) kann ich darin nicht sehen. Die von PETTINATO angezogenen alttestamentlichen Parallelen lassen sich nicht ohne Weiteres vergleichen, da die Vorgänge unterschiedlich sind. Zudem ist durchaus fraglich, ob es sich im Alten Testament um Adoption handelt; siehe DONNER 1969: 105-111.

60 Siehe Anm. 52.

61 Siehe SEUX 1967: 419 s.v. k ú.

62 STEIBLE-BEHRENS 1982: II 316 Luzag. 1 I 31-33.

63 Zum Namen *Krt* ("Keret", Kuritu) siehe WEIPPERT, M. 1969: 214f.

64 CTA 15/KTU 1.15 II 21-28.

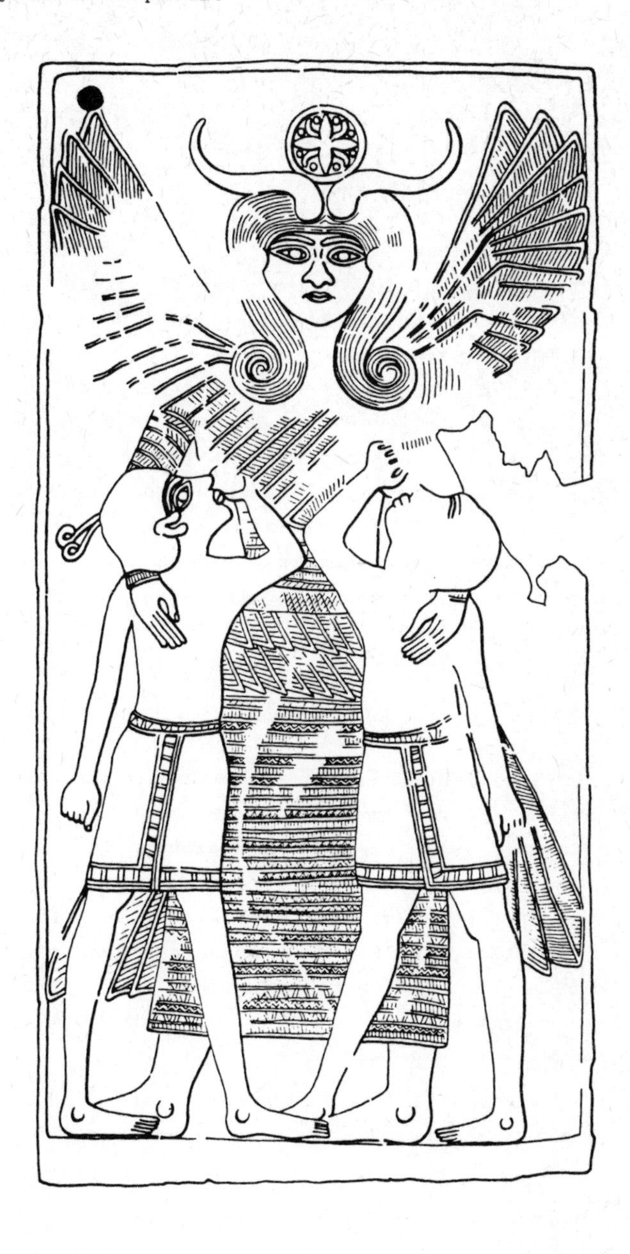

Säugende Göttin (^{c}Anat?), Elfenbeinrelief aus Ugarit, frühes 14. Jahrhundert v.Chr. (siehe S. 78); aus WINTER 1983: Abb. 409.

Hier erscheinen - allerdings in einem epischen Text und nicht in der Überlieferung über einen im engeren Sinne historischen Herrscher[65] - die Göttinnen 'Aṯirat und ᶜAnat als die Ammen des Erstgeborenen des Königspaares, des zukünftigen Kronprinzen. In dieser Rolle ist eine geflügelte weibliche Gottheit, vielleicht ᶜAnat, auch in einem Elfenbeinrelief aus Ugarit dargestellt[66], wobei allerdings der Prinz, der gesäugt wird, doppelt abgebildet ist, wohl aus Gründen der Symmetrie. Bei den sonstigen Bildwerken aus Mesopotamien und dem nordwestsemitischen Bereich, die eine Göttin mit einem Kind an der Brust oder auf dem Schoß zeigen, ist hingegen nicht sicher, ob es sich dabei jeweils um ein königliches Kind handelt. Man ist versucht, die Vorstellung von der Säugung des künftigen Königs in Syrien, im Ausstrahlungsbereich der ägyptischen Kultur, aus Ägypten abzuleiten, wo sie fester Bestandteil des Geburtszyklus des Pharao ist[67]. Denn außerhalb der Epik ist nach gegenwärtigem Kenntnisstand Syrien die Konzeption eines "göttlichen" Königtums im Sinne der physischen Abstammung der Herrscher von den Göttern ebenso fremd wie dem historischen Zweistromland.

3.3. *Naturbilder*

Die Schwierigkeiten, brauchbare Parallelen zu finden, die schon bei den Mutter- und Ammenbildern zu bemerken waren, treten bei den aus der Natur genommenen Metaphern und Vergleichen der assyrischen Propheten in noch verstärktem Maße auf. Genaue Entsprechungen gibt es kaum. Das im folgenden aufgeführte Material aus mesopotamischen und biblischen Texten kann jedoch zeigen, daß die prophetischen Bilder nicht ganz isoliert stehen, sondern sich im allgemeinen in einen auch sonst nachweisbaren konzeptuellen Rahmen einfügen.

Wenn in K 4310 C 2* (I 6′f.) der anstürmende *Wind* als Metapher für den Feind verwendet wird, so steht dahinter die

65 Ich schließe damit nicht aus, daß der Kuritu des Epos auf eine historische Herrschergestalt zurückgeht.

66 SCHAEFFER 1954: 53f. u. Taf. VIII; vgl. WARD 1969: 225-239; WINTER 1983: 397-403.

67 Vgl. zu Mesopotamien, Syrien und Ägypten WINTER 1983: 385-413.

negative Seite der Doppelnatur des Windes, die in der mesopotamischen Literatur durch die Unterscheidung des "guten (günstigen)" (*šāru ṭābu*) und des "bösen (ungünstigen) Windes" (*šāru lemnu/lā ṭābu, šār lemutti*) reflektiert wird. Gelegentlich wird der Ansturm eines *šār lemutti* sogar mit dem hier verwendeten Verbum *edēpu* ausgedrückt, so z.B. in einem Gebet an Šamaš und Sîn in KAR 184 Rs. 45: *šār lemutti īdipannīma eṭem ridâti irteddanni* "ein böser Wind fiel mich an, ein Totengeist der Verfolgung verfolgte mich immer wieder". Deshalb kann das Bild des Windes, vom Standpunkt des Sprechenden her positiv gewendet, auch zur Beschreibung des unwiderstehlichen und verderbenbringenden "Ansturms" des Königs in der Schlacht verwendet werden, so z.B. bei Sanherib: *kīma tīb meḫê šamri ana* lú*nakri azīq* "wie ein wütender sich erhebender Sturm wehte ich den Feind (*scil.* die elamische Armee) an"[68], oder *kīma tīb meḫê azīqma kīma imbāri asḫupšu* "wie ein sich erhebender Sturm wehte ich sie (*scil.* die Stadt Babylon) an, wie eine Wetterwolke warf ich sie nieder"[69].

Bei den *Tierbildern* haben wir positive und negative zu unterscheiden.

Der Vogel, gewöhnlich ein Bild des Ängstlichen und Scheuen[70], erscheint bei den Propheten als Bild des Schützenden. Dafür habe ich im mesopotamischen Bereich keine Parallelen finden können. Doch findet sich in Vertrauensäußerungen biblischer Psalmen das Bild vom "Schatten der Flügel" Jahwes[71], in dem der Beter sich geborgen und sicher weiß, wobei "Schatten" (צֵל) wie im Akkadischen (*ṣillu*) Metapher für "Schutz" ist. Eventuell enthält die schwierige Stelle Jes 31,5 sogar einen erweiterten Vergleich, der sich eng mit dem von K 12033+ C 8*-10* (II 6′-8′) berührt: כְּצִפֳּרִים עָפוֹת כֵּן יָגֵן יהוה צְבָאוֹת עַל-יְרוּשָׁלִָם גָּנוֹן וְהַצִּיל פָּסֹחַ וְהַמְלִיט[72] "wie flatternde Vögel, so wird Jahwe Zebaoth Jeru-

68 LUCKENBILL 1924: 45,77; vgl. GRAYSON 1963: 92,66f.
69 LUCKENBILL 1924: 83,44.
70 Siehe HEIMPEL 1968: 380-382; SCHOTT 1926: 92f.96f.; MARCUS 1977: 96-98; im Alten Testament Hos 11,11; Ps 11,1; 55,7; Prov 26,2.
71 Ps 17,8; 36,8; 57,2; 63,8.
72 Neben den Infinitiven יָגֹן und פָּסֹחַ liest man besser וְהַצֵּיל* und וְהַמְלֵיט* statt וְהִצִּיל und וְהִמְלִיט des Masoretischen Textes, obwohl letztere Formen

salem decken, indem er deckt und befreit, hüpft und rettet". Die Übersetzung ist allerdings nicht in allen Stücken gesichert. Sollte sie richtig sein, so stünde dahinter das Bild von Vögeln, die ihre Jungen vor der Bedrohung durch Feinde (oder die Sonnenhitze) mit ihren Flügeln bedecken und durch auffälliges Herumhüpfen mögliche Feinde von ihrem Nest bzw. ihren Jungen abzulenken suchen, dasselbe Bild, das wir oben in K 12033+ C gefunden haben. Die Übereinstimmung hängt allerdings an der Auffassung des Verbums פסח als "hüpfen", in der ich O.KEEL folge[73], die aber nicht allgemein anerkannt ist.

Zum Bild der Ištar von Arbela als anhänglichem, treuem Palasthündchen in K 12033+ C 11* (II 9′f.) gibt es eine bemerkenswerte Umkehrung in einem assyrischen šu-íl-lá-Gebet an Marduk, in dem der Beter seine ständige Bemühung um den Gott in die folgenden Worte kleidet: *ṣabtāku kī tīre ina qannīka kī mūrāne* *^d^Marduk*(TU.TU) *alassum urkī*[*ka*] "ich halte mich wie ein Höfling an deinem Gewandsaum fest; wie ein Hündchen, o Marduk, laufe ich hinter [dir] her"[74]. Auch hier ist der Hund, der seinem Herrn aufmerksam auf dem Fuße folgt, Bild für treue Anhänglichkeit. Eine dem prophetischen Bild äußerlich noch näherstehende Aussage kommt in dem Gespräch zwischen Herrn und Sklaven (*Dialogue of Pessimism*) vor. Der siebte Gesprächsgang (Zeilen 53-61)[75] handelt vom Opfern:

53 Sklave, pflichte mir bei!
   Gewiß, mein Herr, gewiß!
54 Auf, gib mir gleich Wasser für meine Hände,
55 damit ich meinem Gott ein Opfer darbringen kann!
   Bring (es) dar, mein Herr, bring (es) dar!
56   Das Herz eines Menschen, der seinem Gott ein Opfer darbringt,
   ist fröhlich.
57   Kredit über Kredit erwirbt er.
58 Nein, Sklave! Ein Opfer werde ich meinem Gott nicht darbringen!
59   Bring (es) nicht dar, mein Herr, bring (es) nicht dar!
60   *ila tulammassūma kī kalbi arkīka ittanallak*
   Du könntest den Gott (sonst) lehren, wie ein Hund hinter dir
   her zu laufen,

sich notfalls auch halten lassen.
73 KEEL 1972: 428-433, z.St. 429f.
74 KING 1896: 18 Vs. 11f. = EBELING 1953: 92,11f.
75 LAMBERT 1960: 146.148.

61 *šumma parṣī šumma ila lā tašāl šumma šanâmma irriška*
kultische Verehrung oder 'den Gott befragtest du nicht?' oder irgendetwas anderes von dir zu verlangen.

In den Zeilen 60f. zeigt der Sklave zur Begründung seines Ratschlags, dem persönlichen Gott nicht zu opfern, die - unerwünschten - Folgen auf, die sich aus der (zunächst von Herrn und Knecht beabsichtigten) Darbringung des Opfers ergeben könnten: Der Gott könnte sich "wie ein Hund" an die Fersen des Herrn heften und einmal dies, dann etwas anderes von ihm verlangen - "Be careful not to get your personal god into bad habits!"[76] Das Bild hat inhaltlich mit dem von K 12033+ C 11* (II 9′f.) nichts zu tun, sondern erinnert eher an die - sicher leicht ironisch gemeinte - Darstellung der hungrigen Götter, die sich nach der Sintflut "wie Fliegen" um das erste Opfer Atraḫasīs'/Utanapištims scharen[77].

An einigen Stellen der neuassyrischen Prophetensprüche wird die Vernichtung der Feinde im Bild des Einsammelns oder Zerquetschens von Insekten dargestellt. Dafür habe ich keine direkten Parallelen gefunden. Am nächsten kommen den Metaphern und Vergleichen in K 883,23* (16), K 1285 G 7* (36) und K 2401 F 6* (III 22′f.) zwei Insektenvergleiche die, obwohl in unterschiedlichen Textgattungen belegt, sehr nahe miteinander verwandt sind und somit auf eine gewisse Vorprägung schließen lassen. In dem zweisprachig überlieferten Ninurta-Mythos l u g a l u_4 m e - l á m - b i n i r - g a l a_7 wird die Aussage g i r i š - g i m š u ḫ a - b a - e - e n - z é - e n/ḫ a - b a - a n - s i g - g e [- e n - z é - - e n] des sumerischen Textes in der akkadischen Version mit *kīma kurṣipti emēškunūti* wiedergegeben: "wie Schmetterlinge (koll. Sg.) achtete ich euch gering"[78]. Ein ähnlicher Ausdruck begegnet noch einmal in einer Weihinschrift Asarhaddons für Ištar von Uruk, in der der König die Göttin bittet: *ina qablu u tāḫāzi idāya itasḫarma kullat nakirīya lumēš kulbābiš* "stelle dich in Kampf und Schlacht stets wieder an meine Seite, so

76 SPEISER 1954: 103[a].
77 3 Atr. (altbab.) V 34f. (LAMBERT-MILLARD 1969: 98); 11 Gilg. 159-161.
78 Lugal 441, VAN DIJK 1983: I 108. II 124; vgl. GELLER 1917: 297; HEIMPEL 1968: 515f. Nr. 103.1 Suffix *-kunūti* nach AHw 649[b] s.v. *mêšu* G 1b (Emendation? VAN DIJK *-kunūši*).

daß ich alle meine Feinde wie Ameisen gering achten kann!"[79]. In beiden Fällen werden die Gegner durch den Vergleich mit Schmetterlingen oder Ameisen als *quantité négligeable* disqualifiziert. Auch im Alten Testament erscheinen Feinde gelegentlich als Insekten oder im Vergleich mit ihnen. In Jes 7,18, einer Unheilsankündigung an Juda, ist die Fliege (זְבוּב) Metapher des ägyptischen, die Biene oder Hornisse (דְּבוֹרָה) Bild des assyrischen Heeres. Hier ist das *tertium comparationis* allerdings nicht die Geringfügigkeit der Insekten, sondern im Gegenteil ihr massenhaftes Auftreten, das dem Propheten die das ganze Land überschwemmende Invasion der ägyptischen und assyrischen Soldaten symbolisiert[80]. Im Vergleich wird ferner zweimal die Gefährlichkeit der Bienen oder Hornissen für den Menschen ausgedrückt. Über einen gescheiterten Landnahmeversuch sagt Mose in den Einleitungsreden des Deuteronomiums (1,44):

> Da zogen die Amoriter, die in jenem Gebirge wohnten, euch entgegen und verfolgten euch, wie die Bienen/Hornissen tun, und schlugen euch in Seir bis nach Horma.

Und ein frommer Beter beschreibt in Ps 118,12 die für ihn von den "Heiden" (גּוֹיִם) ausgehende Bedrohung, aus der er sich "im Namen Jahwes" lösen konnte, durch den Vergleich: "sie umringten mich wie Bienen/Hornissen"[81]. Auch hier entspricht das gebrauchte Bild nur äußerlich, nicht aber inhaltlich den Insektenbildern der assyrischen Propheten.

Bei den *Pflanzenbildern* findet man ungefähre Entsprechungen der Dornenmetapher für Feinde ebenfalls im Alten Testament, so, wenn Jahwe dem Propheten Ezechiel angesichts seiner internen

79 BORGER 1956: § 48,19.

80 Dazu läßt sich in den assyrischen Königsinschriften am ehesten das Bild der Heuschrecke vergleichen; siehe SCHOTT 1926: 97; MARCUS 1977: 98f.

81 Fraglich ist, ob man in diesem Zusammenhang auch die צִרְעָה nennen darf, die Jahwe nach Ex 23,28; Dtn 7,20; Jos 24,12 vor den in das Land Kanaan eindringenden Israeliten her schicken will bzw. geschickt hat. Dieser Ausdruck wird bereits von den antiken Versionen mit "Wespen, Hornissen" (G σφηκίαι, S *debbō/ūrīṯā*, pl. *debbō/urəyāṯā*, V *crabrones* T עִרְעִיתָא) wiedergegeben. Man könnte jedoch aufgrund des jeweiligen Kontextes fragen, ob eine Übersetzung wie "panischer Schrecken" o.ä. nicht näherläge. Vgl. in diesem Sinne SIMONIS 1793: 1390 (unter Verweis auf F.E.BOYSEN und J.D.MICHAELIS); KÖHLER 1936: 291; 1945: 17-22. Vgl. aber auch NEUFELD 1980; FELIKS 1981: 32-34.

Gegner Mut zuspricht und dabei die Widersacher auch als Dornen und Skorpione auftreten läßt (Ez 2,6):

> Du aber, Mensch, fürchte dich nicht vor ihnen,
> und vor ihren Worten fürchte dich nicht!
> Wenn Dornen dich umgeben,
> und du auf Skorpionen sitzt,
> fürchte dich nicht vor ihren Worten,
> und vor ihnen erschrick nicht!
> Denn ein Haus der Widerspenstigkeit sind sie.

Anführen kann man wohl auch die folgende Verheißung zukünftigen Friedens für Juda, die ebenfalls im Ezechielbuch (28,24) steht:

> Und für das Haus Israel soll es hinfort nicht mehr geben ritzende Stacheln und schmerzende Dornen von all denen ringsum, die euch verachten; und sie sollen erkennen, daß ich Jahwe bin.

Schließlich sei in diesem Zusammenhang noch ein Pflanzenvergleich aus den Annalen Sanheribs erwähnt, der sich auf die Verstümmelung der Leichen gefallener elamischer Soldaten bezieht: *kīma binē qiššê sīmāni unakkis qātīšun* "wie ... zeitiger Gurken schnitt ich ihre Hände ab"[82]. Der Ausdruck *binē* (geschrieben *bi*-NI) wird von D.D.LUCKENBILL[83], wohl aufgrund des Vergleichs mit jüd.-aram. בִּינְתָא, mit "Samen" ("seeds") wiedergegeben, während W.VON SODEN[84] die Belege unter *binu* "Sohn" einordnet und auf "Triebe" rät. M.E. muß es sich bei *binē* um etwas handeln, das man normalerweise zur Reifezeit von den Gurkenpflanzen abschneidet, also wohl um deren Früchte selbst[85].

Zu dem Bild von den "Neidern", die wie "*šēpu*-Getreide auf dem Wasser davonfliegen", hat schon H.ZIMMERN[86] einen Passus

82 LUCKENBILL 1924: 46 VI 11f.; GRAYSON 1963: 94,93. LUCKENBILL und, ihm folgend, GRAYSON beziehen den Vergleich in naheliegender Assoziation allerdings auf die vorher erwähnten Schamteile (*bāltu*) der gefallenen Elamer; das ist mir aufgrund der chiastischen Struktur der beiden aufeinanderfolgenden Sätze nicht wahrscheinlich, und zudem kann man *bāltu* hier auch als "Lebenskraft" o.ä. verstehen. Vgl. für die oben vorausgesetzte Zuordnung auch SCHOTT 1926: 101.

83 LUCKENBILL 1924: 47.

84 AHw. 127[a] s.v. *binu(m)* 3.

85 Vgl. GRAYSON 1963: 95.

86 ZIMMERN 1901: 182 Anm. 12 zu Nr. 66 Rs. 8.

aus dem Era-Gedicht beigezogen, in dem die im Zorn von Ištar herbeigeführte Zerstörung von Uruk folgendermaßen dargestellt wird: ^{lú}*nakra idkamma kī(ma) šeʾim ina pān mê imašša māta* "sie (*scil.* Ištar von Uruk) bot den Feind auf, indem sie das Land wie Getreide auf dem Wasser wegführte"[87]. Vielleicht findet sich Ähnliches auch im Alten Testament. In Hos 10,7 lesen wir: נִדְמָה שֹׁמְרוֹן מַלְכָּהּ כְּקֶצֶף עַל-פְּנֵי-מָיִם[88] "im Untergang begriffen ist Samaria; sein König ist wie Reisig (?)[89] auf dem Wasser". In allen Fällen handelt es sich um etwas, das auf der Oberfläche des Wassers treibt und von ihm rasch davongetragen wird und so verschwindet.

3.4. *Verschiedenes*

Der Vergleich des Königs mit einem *šukurru*-Anhänger oder -Amulett zwischen den Brüsten der Mullissu in K 883,32* (22), den wir oben als Bild der Geborgeheit gedeutet haben, erinnert entfernt an eine Stelle des biblischen Hohenliedes (1,13), an der die "Braut" über ihren Geliebten sagt:

> Ein Beutel voll Myrrhe ist mein Geliebter mir -
> zwischen meinen Brüsten verbringt er die Nacht.

Der "Myrrhenbeutel" (צְרוֹר הַמֹּר) ist hier, im vorausgesetzten ländlichen Kontext, eine einfache Ausführung dessen, was in höfischem oder städtischem Zusammenhang als בֵּית הַנֶּפֶשׁ* (Jes 3,20) bezeichnet würde, eines um den Hals getragenen Behälters für wohlriechende Substanzen[90]. Es handelt sich um eine erweiterte Metapher, deren *tertium comparationis* wie im folgenden Vers 14 der "Wohlgeruch" des Geliebten ist. Die Erweiterung fügt dem Bilde hinzu, daß der Myrrhenbeutel die Nacht "zwischen den Brüsten" der Sprecherin verbringt, wobei in der Schwebe bleibt, ob damit nur der reale Parfümbehälter oder (auch) der damit Bezeichnete gemeint ist. Insgesamt handelt es sich hier

87 4 Era 62, CAGNI 1969: 110; zur Übersetzung von *ina pān* mit "auf der Oberfläche von" siehe jedoch ders. 1977: 52.

88 So statt נִדְמֶה des Masoretischen Textes zu lesen.

89 G φρύγανον "Reisig", S *gellā* "Holzspan/Strohhalm", V *spuma* "Schaum", T רִתְחָא "Schäumen, Schaum".

90 Zu נֶפֶשׁ vgl. vielleicht akk. *nipšu* "Blasen, Riechen, Duft" (AHw: 792[a] s.v. *nipšu(m)* I 3) und DRIVER 1934: 54; anders DÜRR 1925: 268f.; VON SODEN 1935: 291f.; GALLING 1973: 166f.

natürlich nicht um ein Bild der Geborgenheit, sondern um eines der innigen Gemeinschaft - ein Aspekt, der in K 883,32* (22) höchstens mitschwingt.

Für die Schild-Metapher von K 4310 H 23* (IV 18f.) gibt es im Alten Testament außer der bereits genannten Stelle Gen 15,1 eine Reihe weiterer Parallelbelege[91], an denen deutlich ist, daß damit der Schutz umschrieben wird, den die Gottheit dem gewährt, der auf sie vertraut. Auf einen Menschen angewandt erscheint die Metapher in der ninevitischen Fassung des Gilgameš-Epos (8 Gilg. II 5) in der Klage Gilgameš' über den toten Enkidu, den der überlebende Freund u.a. als *arīte ša pānīya* "den Schild für mein Gesicht" bezeichnet, und gelegentlich in den Psalmen[92], wo damit der König gemeint ist.

4. Schlußbetrachtung

Die Distanz der neuassyrischen Prophetensprüche zum Hauptstrom der mesopotamischen Literatur, die sich etwa im fast ausschließlichen Gebrauch des heimischen Assyrischen anstelle des üblichen Babylonischen und im weitgehenden Fehlen der traditionellen literarischen Formeln ausdrückt, spiegelt sich auch in der prophetischen Bildsprache. Unsere Vergleichung hat gezeigt, daß die prophetischen Metaphern und Similes zwar nicht ganz isoliert sind, aber doch nur in wenigen Fällen genaue Entsprechungen in Texten anderer Herkunft haben. Das wird, wie bereits bemerkt, zumindest teilweise mit Unterschieden der Gattung zusammenhängen; eine Reihe von Beobachtungen läßt aber die Vermutung zu, daß damit noch nicht alles gesagt ist.

Die deutlichsten konzeptuellen Verbindungen der Prophetien mit nichtprophetischen Texten haben wir bei den Mutter- und Ammenbildern gefunden. Doch besteht hier die Schwierigkeit,daß die Analogien fast ausschließlich in Texten aus dem 3. und dem beginnenden 2. Jahrtausend vorkommen. Wenn man hier von der Aufnahme einer altmesopotamischen Tradition sprechen will, muß

91 2.Sam 22/Ps 18,3.31; Ps 3,4; 28,7; 33,20; 59,12; 84,12; 115,9.10.11; 119,114; 144,2; Prov 2,7; 30,5.

92 Ps 84,10; 89,19.

man belegen, daß hier tatsächlich eine Kontinuität besteht. Zwischenglieder fehlen aber im Zweistromland nach der Altbabylonischen Zeit völlig, und auch der isolierte Beleg aus Ugarit ist schon wegen seiner Herkunft nicht geeignet, die Behauptung eines genetischen Zusammenhangs zu stützen. Die Vorstellung ist auch, wie der negative Befund der assyrischen Königsinschriften lehrt, keine in Assyrien heimische Tradition. Woher die Bilder kommen, die in den Prophetien mit einem Mal auftauchen, läßt sich gegenwärtig nicht feststellen. Erst bei dem Babylonier Nebukadnezar II. kann an Übernahme aus altbabylonischen Königsinschriften gedacht werden.

Bei den übrigen Bildern treten Parallelen aus Assyrien und Babylonien ebenfalls stark in den Hintergrund, während solche aus Palästina, d.h. aus dem Alten Testament, etwas reichlicher vorhanden sind. Freilich sind auch hier genaue Übereinstimmungen selten. Immerhin könnte man fragen, ob Zahl und Art der Parallelen nicht ausreichten, um nicht wenigstens die Herkunft eines beträchtlichen Teiles des Bildmaterials aus dem Westen zu postulieren. Das ließe sich gut mit der These H.TADMORS verbinden, daß das Phänomen der neuassyrischen Prophetie in Assyrien nicht autochthon ist, sondern in den Zusammenhang der Aramaisierung des Neuassyrischen Reiches gehört[93]. Die textimmanenten Argumente, die neben der Bildsprache dafür angeführt werden können, gestatten allerdings nicht, die Vermutung in den Rang einer gesicherten Erkenntnis zu erheben: Die häufig vorkommende Formel *lā tapallaḫ/tapalliḫī* "fürchte dich nicht!", die semantische Äquivalente in dem Erhörungsorakel der Steleninschrift Zakkūrs von Hamath und im Alten Testament hat, und vereinzelte Aramaismen wie die Verwendung von *ḫilpu* "Milch" für das akkadische *šizbu* oder des Verbums *ḫalābu* "melken" haben - mit Ausnahme des *hapax legomenon ḫilpu* - auch Parallelen in nichtprophetischen Texten und sind so eher ein Indiz für die *generelle* Aramaisierung der mesopotamischen Kultur(en). Aber auch so bliebe die These TADMORs attraktiv; sie wird durch die hier vorgelegten Untersuchungen zumindest nicht falsifiziert.

93 TADMOR 1975: 43; 1981: 29; 1982: 458; vgl. WEIPPERT, H. 1981: 99f.

Fragt man nach dem Milieu, dem die Bilder der neuassyrischen Propheten entstammen, so fällt neben der Ferne von literarischen Konventionen des Zweistromlands der weitgehend private Charakter der Metaphern und Vergleiche auf. Literarische Motive könnten das Bild des auf der Wasseroberfläche forttreibenden Getreides, vielleicht auch das des treuen Haus- oder Palasthundes sein. In den Umkreis königlicher Aufgaben gehören das Bild des Schildes und der Beilhacke (Krieg); aber auch hier könnten individuelle Erfahrungen im Hintergrund stehen. Die meisten Bilder sind im privaten Lebensbereich zu Hause: die von Mutter und Amme in der (wohlhabenden) Familie, die von lästigen Naturerscheinungen wie Wind, Insekten und Dorngestrüpp, von reifen Äpfeln unter einem Baum oder fürsorglichen Vogelweibchen im "Alltag" von Menschen, denen ihr gesellschaftlicher Status die Muße zu kontemplativer Naturbetrachtung läßt. Damit ist nicht gesagt, daß die Naturbilder sämtlich auf direkter Anschauung beruhen und spontan entstanden sein müssen. Wie ihre mesopotamischen und nordwestsemitischen Parallelen lehren, können sie durchaus vorgegebenen Mustern folgen. Daß aber gerade sie gewählt wurden und nicht z.B. Bilder aus dem höfischen Milieu - bei den Tierbildern könnte man in diesem Falle etwa Reflexe der königlichen Jagden erwarten -, spricht m.E. dafür, daß sie dem Erfahrungsbereich der Propheten und Prophetinnen nicht fremd waren. Dazu paßt, daß die Propheten nach den Verfasserangaben ihrer Orakel in der Regel nicht am Hofe lebten, sondern zum Tempelpersonal gehörten, wenn sie nicht z.T. überhaupt Privatleute waren.

LITERATURVERZEICHNIS

AHw

BAUER, Th.
1933 Das Inschriftenwerk Assurbanipals vervollständigt und neu bearbeitet. AB NF 1.2; Leipzig.

BARNETT, R.D.-LORENZINI, A.
1975 Assyrische Skulpturen im British Mueseum. Recklinghausen.

BORGER, R.
1956 Die Inschriften Asarhaddons, Königs von Assyrien. AfOB 9; Graz.

1979 Babylonisch-Assyrische Lesestücke. AnOr 54; Rom[2].

CAGNI, L.
1969 L'epopea die Erra. SS 34; Rom.
1977 The Poem of Erra. SANE 1:3; Malibu.

CASTELLINO, G.R.
1977 Testi sumerici e accadici. Classici delle Religioni, 1. Le religioni orientali; Turin.

COOPER, J.S.
1974 Rez. SOLLBERGER-KUPPER 1971. JNES 33: 414-417.

CTA

DEIMEL, A.
1928 Die Opferlisten Urukaginas und seiner Vorgänger. Orientalia 28: 25-70.

DIETRICH, M.
1973 Prophetie in den Keilschrifttexten. JARG 1: 15-44.

DIJK, J. VAN
1983 LUGAL UD ME-LÁM-bi NIR-GÁL: Le récit épique et didactique des Travaux de Ninurta, du Déluge et de la Nouvelle Création. Leiden.

DONNER, H.
1969 Adoption oder Legitimation? Erwägungen zur Adoption im Alten Testament auf dem Hintergrund der altorientalischen Rechte. OA 8: 87-119.

DRIVER, G.R.
1934 Hebrew Notes. ZAW 52: 51-56.

DÜRR, L.
1925 Hebr. נֶפֶשׁ = akk. napištu = Gurgel, Kehle. ZAW 43: 262-269.

EBELING, E.
1953 Die akkadische Gebetsserie "Handerhebung" von neuem gesammelt und herausgegeben. VIO 20; Berlin.

ELLERMEIER, F.
1968 Prophetie in Mari und Israel. Theologische und Orientalistische Arbeiten 1; Herzberg.

FALKENSTEIN, A.
1966 Die Inschriften Gudeas von Lagaš, I. Einleitung. AnOr 30; Rom.

FELIKS, Y.
1981 Nature and Man in the Bible: Chapters in Biblical Ecology. London-Jerusalem-New York.

GADD, C.J.
1936 The Stones of Assyria: The Surviving Remains of Assyrian Sculpture, their Recovery and their Original Positions. London.

GALLING, K.
1973 Bemerkungen zu Gestus und Tracht kyprischer Frauenfiguren. S. 161-168 in: BEEK, M.A. et al., edd., Symbolae biblicae et mesopotamicae Francisco Mario Theodoro de Liagre Böhl dedicatae. Studia Francisci Scholten memoriae dicata 4; Leiden.

GALLING, K., ed.
1968/79 Textbuch zur Geschichte Israels. Tübingen[2.3].

GARDINER, A.H.
1932 Late-Egyptian Stories. Bibliotheca Aegyptiaca 1; Brüssel.

GELLER, S.
1917 Die sumerisch-assyrische Serie LUGAL-E UD ME-LAM-BI NÍR-GÁL. AOTU 1: 255-361.
GRAYSON, A.K.
1963 The Walters Art Gallery Sennacherib Inscription. AfO 20: 83-96.
GRESSMANN, H., ed.
1926 Altorientalische Texte zum Alten Testament. Berlin-Leipzig².
HALL, H.R.
1928 La sculpture babylonienne et assyrienne au British Museum. Ars Asiatica 11; Paris-Brüssel.
HEIMPEL, W.
1968 Tierbilder in der sumerischen Literatur. Studia Pohl 2; Rom.
JACOBSEN, Th.
1943 Parerga Sumerologica, IV: The Concept of Divine Parentage of the Ruler in the Stele of the Vultures. JNES 2: 119-121.
1976 The Stele of the Vultures Col. I-X. S. 247-259 in: EICHLER, B.L., ed., Kramer Anniversary Volume: Cuneiform Studies in Honor of Samuel Noah Kramer. AOAT 25; Kevelaer-Neukirchen-Vluyn.
KAI
KEEL, O.
1972 Erwägungen zum Sitz im Leben des vormosaischen Pascha und zur Etymologie von פסח. ZAW 84: 414-434.
1977 Jahwe-Visionen und Siegelkunst: Eine neue Deutung der Majestätsschilderungen in Jes 6, Ez 1 und 10 und Sach 4. SBS 84/85; Stuttgart.
KING, L.W.
1896 Babylonian Magic and Sorcery, Being "The Prayers of the Lifting of the Hand". London.
KÖHLER, L.
1936 Hebräische Vokabeln, I. ZAW 54: 287-293.
1945 Kleine Lichter: Fünfzig Bibelstellen erklärt. Zwingli-Bücherei 47; Zürich.
KTU
LABAT, R.
1939 Le caractère religieux de la royauté assyro-babylonienne. Paris.
LABAT, R.-CAQUOT, A.-SZNYCER, M.-VIEYRA, M.
1970 Les religions du Proche-Orient antique: Textes babyloniens, ougaritiques, hittites. Paris.
LAMBERT, W.G.
1960 Babylonian Wisdom Literature. Oxford.
LAMBERT, W.G.-MILLARD, A.R.-CIVIL, M.
1969 Atra-ḫasīs: The Babylonian Story of the Flood. Oxford.
LANDSBERGER, B.
1949 Jahreszeiten im Sumerisch-Akkadischen. JNES 8: 248-297.
1965 Brief des Bischofs von Esagila an König Asarhaddon. Mededelingen der Koniklijke Nederlandse Akademie van Wetenschappen, afd. Letterkunde, NR 28:6; Amsterdam.

LANGDON, S.
1912 Die Neubabylonischen Königsinschriften. VAB 4; Leipzig.
1914 Tammuz and Ishtar: A Monograph upon Babylonian Religion and Theology containing extensive extracts from the Tammuz liturgies and all of the Arbela oracles. Oxford.
1927 Babylonian Penitential Psalms, to which are added Fragments of the Epic of Creation from Kish in the Weld Collection of the Ashmolean Museum excavated by the Oxford-Field Museum Expedition. OECT 6; Paris.
LIE, A.G.
1929 The Inscriptions of Sargon II, King of Assyria, I. The Annals. Paris.
LUCKENBILL, D.D.
1924 The Annals of Sennacherib. OIP 2; Chicago.
1927 Ancient Records of Assyria, II. Chicago.
MARCUS, D.
1977 Animal Similes in Assyrian Royal Inscriptions. Orientalia NS 46: 86-106.
MEISSNER, B.
1925 Babylonien und Assyrien, II. Kulturgeschichtliche Bibliothek 4; Heidelberg.
MENZEL, B.
1981 Assyrische Tempel. Studia Pohl, Series Maior 10; Rom.
MÜLLER, H.-P.
1984 Vergleich und Metapher im Hohenlied. OBO 56; Freiburg/Schweiz-Göttingen.
NEUFELD, E.
1980 Insects as Warfare Agents in the Ancient Near East (Ex. 23:28; Deut. 7:20; Josh. 24:12; Isa. 7:18-20). Orientalia NS 49: 30-57.
NÖTSCHER, Fr.
1966 Prophetie im Umkreis des Alten Israel. BZ NF 10: 161-197.
NOORT, E.
1977 Untersuchungen zum Gottesbescheid in Mari: Die "Mariprophetie" in der alttestamentlichen Forschung. AOAT 202; Kevelaer-Neukirchen-Vluyn.
PETTINATO, G.
1970 Rez.: W.Ph.H.RÖMER, Sumerische "Königshymnen" der Isin-Zeit. DMOA 13; Leiden 1965. ZA 60: 206-214.
PICCHIONI, S.A.
1981 Il poemetto di Adapa. Az Eötvös Loránd Tudományegyetem Ókori Történeti transzékeinek kiadványai 27 = Assyriologia 6; Budapest.
PRITCHARD, J.B., ed.
1950/69 Ancient Near Eastern Texts Relating to the Old Testament. Princeton[1-3].
ROSS, J.F.
1970 Prophecy in Hamath, Israel, and Mari. HThR 63: 1-28.
ROST, P.
1893 Die Keilschrifttexte Tiglat-Pilesers III. nach den Papierabklatschen und Originalen des Britischen Museums. Leipzig.

SALONEN, E.
1965 Die Waffen der alten Mesopotamier. StOr 33; Helsinki.
SCHAEFFER, C.F.-A.
1954 Les fouilles de Ras Shamra-Ugarit, quinzième, seizième et dix-septième campagnes (1951, 1952 et 1953): Rapport sommaire. Syria 31: 14-67.
SCHOTT, A.
1926 Die Vergleiche in den akkadischen Königsinschriften. MVAeG 30:2; Leipzig.
SEUX, M.-J.
1967 Épithètes royales akkadiennes et sumériennes. Paris.
SIDERSKY, M.
1929 Assyrian Prayers. JRAS: 767-789.
SIMONIS, J.
1793 Lexicon manuale hebraicum et chaldaicum, ed. EICHHORN, J.G. Halle/S.[3].
SJÖBERG, Å.W.
1966 Rez.: W.Ph.H.RÖMER, Sumerische "Königshymnen" der Isin-Zeit. DMOA 13; Leiden 1965. Orientalia NS 35: 286-304.
1972 Die göttliche Abstammung der sumerisch-babylonischen Herrscher. Orientalia Suecana 21: 87-112.
SODEN, W. VON
1935 Zu ZAW 52,53f. ZAW 53: 291f.
1936 Bemerkungen zu den von Ebeling in "Tod und Leben" Band I bearbeiteten Texten. ZA 43: 251-276.
1939 Die akkadische Adverbialisendung *-atta(m)*, *-atti*. ZA 45: 62-68.
1954 Eine altbabylonische Beschwörung gegen die Dämonin Lamaštum. Orientalia NS 23: 337-344.
1974/77 Zwei Königsgebete an Ištar aus Assyrien. AfO 25: 37-49.
1977 Zu einigen akkadischen Wörtern. ZA 67: 235-241.
SOLLBERGER, E.
1956 Corpus des inscriptions "royales" présargoniques de Lagaš. Genf.
SOLLBERGER, E.-KUPPER, J.-R.
1971 Inscriptions royales sumériennes et akkadiennes. Littératures anciennes du Proche-Orient; Paris.
SPEISER, E.A.
1954 The Case of the Obliging Servant. JCS 8: 98-105.
STEIBLE, H.-BEHRENS, H.
1982 Die altsumerischen Bau- und Weihinschriften, I. Inschriften aus 'Lagaš'. II. Kommentar zu den Inschriften aus 'Lagaš'. Inschriften außerhalb von 'Lagaš'. Freiburger Altorientalische Studien 5; Wiesbaden.
STEINER, G.
1975/76 Zwei Namen Eannatums oder Jahresnamen? WO 8: 10-21.
TADMOR, H.
1975 The Ninth Century and its Aftermath. S. 36-48 in: GOEDICKE, H.-ROBERTS, J.J.M., edd., Unity and Diversity: Essays in the History, Literature, and Religion of the Ancient Near East. The Johns Hopkins Near Eastern Studies; Baltimore-London.

1981 History and Ideology in the Assyrian Royal Inscriptions. S. 13-33 in: FALES, F.M., ed., Assyrian Royal Inscriptions: New Horizons in literary, ideological, and historical analysis. OAC 17; Rom.
1982 The Aramaization of Assyria: Aspects of Western Impact. S. 449-470 in: NISSEN, H.-J.-RENGER, J., edd., Mesopotamien und seine Nachbarn: Politische und kulturelle Wechselbeziehungen im Alten Vorderasien vom 4. bis 1. Jahrtausend v.Chr. CRRAI 25; Berliner Beiträge zum Vorderen Orient 1; Berlin.

THOMPSON, R.C.
1949 A Dictionary of Assyrian Botany. London.

THUREAU-DANGIN, F.
1907 Die sumerischen und akkadischen Königsinschriften. VAB 1:1; Leipzig.
1925 Les Cylindres de Goudéa découverts par Ernest de Sarzec à Tello. TCL 8; Paris.

UNGNAD, A.
1921 Die Religion der Babylonier und Assyrer. Religiöse Stimmen der Völker 3; Jena.

VEENHOF, K.R., ed.
1983 Schrijvend Verleden: Documenten uit het oude Nabije Oosten vertaald en toegelicht. Mededelingen en Verhandelingen van het Vooraziatisch-Egyptisch Genootschap "Ex Oriente Lux"; Leiden-Zutphen.

WARD, W.A.
1969 La déesse nourricière d'Ugarit. Syria 46: 225-239.

WEIPPERT, H.
1977 Art. Beilhacke. BRL^2: 36f.
1981 Der Beitrag außerbiblischer Prophetentexte zum Verständnis der Prosareden Jeremias. S. 83-104 in: BOGAERT, P.-M. et al., Le Livre de Jérémie: Le prophète et son milieu, les oracles et leur transmission. BEThL 54; Löwen.

WEIPPERT, M.
1969 Elemente phönikischer und kilikischer Religion in den Inschriften vom Karatepe. S. 191-217 in: VOIGT, W., ed., XVII. Deutscher Orientalistentag vom 21. bis 27. Juli 1968 in Würzburg, Vorträge I. ZDMGS 1:1; Wiesbaden.
1981 Assyrische Prophetien der Zeit Asarhaddons und Assurbanipals. S. 71-115 in: FALES, F.M., ed., Assyrian Royal Inscriptions: New Horizons in literary, ideological, and historical analysis. OAC 17; Rom.
1982 De herkomst van het heilsorakel voor Israël bij Deutero-Jesaja. NThT 36: 1-11.

WINTER, U.
1983 Frau und Göttin: Exegetische und ikonographische Studien zum weiblichen Gottesbild im Alten Israel und in dessen Umwelt. OBO 53; Freiburg/Schweiz--Göttingen.

ZIMMERN, H.
1901 Beiträge zur Kenntnis der babylonischen Religion, II: Ritualtafeln für den Wahrsager, Beschwörer und Sänger. AB 12:2; Leipzig.

ZOBEL, H.-J.
1971 Das Gebet um Abwendung der Not und seine Erhörung in den Klageliedern des Alten Testaments und in der Inschrift des Königs Zakir von Hamath. VT 21: 91-99.

MANFRED WEIPPERT

ORBIS BIBLICUS ET ORIENTALIS

Bd. 1 OTTO RICKENBACHER: *Weisheitsperikopen bei Ben Sira.* X–214–15* Seiten 1973. Vergriffen.

Bd. 2 FRANZ SCHNIDER: *Jesus der Prophet.* 298 Seiten. 1973. Vergriffen.

Bd. 3 PAUL ZINGG: *Das Wachsen der Kirche.* Beiträge zur Frage der lukanischen Redaktion und Theologie. 345 Seiten. 1974. Vergriffen.

Bd. 4 KARL JAROŠ: *Die Stellung des Elohisten zur kanaanäischen Religion.* 294 Seiten, 12 Abbildungen. 1982. 2. verbesserte und überarbeitete Auflage.

Bd. 5 OTHMAR KEEL: *Wirkmächtige Siegeszeichen im Alten Testament.* Ikonographische Studien zu Jos 8, 18–26; Ex 17, 8–13; 2 Kön 13, 14–19 und 1 Kön 22, 11. 232 Seiten, 78 Abbildungen. 1974. Vergriffen.

Bd. 6 VITUS HUONDER: *Israel Sohn Gottes.* Zur Deutung eines alttestamentlichen Themas in der jüdischen Exegese des Mittelalters. 231 Seiten. 1975.

Bd. 7 RAINER SCHMITT: *Exodus und Passa. Ihr Zusammenhang im Alten Testament.* 124 Seiten. 1982. 2. neubearbeitete Auflage.

Bd. 8 ADRIAN SCHENKER: *Hexaplarische Psalmenbruchstücke.* Die hexaplarischen Psalmenfragmente der Handschriften Vaticanus graecus 752 und Canonicianus graecus 62. Einleitung, Ausgabe, Erläuterung. XXVIII–446 Seiten. 1975.

Bd. 9 BEAT ZUBER: *Vier Studien zu den Ursprüngen Israels.* Die Sinaifrage und Probleme der Volks- und Traditionsbildung. 152 Seiten. 1976. Vergriffen.

Bd. 10 EDUARDO ARENS: *The ΗΛΘΟΝ-Sayings in the Synoptic Tradition.* A Historico-critical Investigation. 370 Seiten 1976.

Bd. 11 KARL JAROŠ: *Sichem.* Eine archäologische und religionsgeschichtliche Studie, mit besonderer Berücksichtigung von Jos 24. 280 Seiten, 193 Abbildungen. 1976.

Bd. 11a KARL JAROŠ / BRIGITTE DECKERT: *Studien zur Sichem-Area.* 81 Seiten, 23 Abbildungen. 1977.

Bd. 12 WALTER BÜHLMANN: *Vom rechten Reden und Schweigen.* Studien zu Proverbien 10–31. 371 Seiten. 1976.

Bd. 13 IVO MEYER: *Jeremia und die falschen Propheten.* 155 Seiten 1977.

Bd. 14 OTHMAR KEEL: *Vögel als Boten.* Studien zu Ps 68, 12–14, Gen 8, 6–12, Koh 10, 20 und dem Aussenden von Botenvögeln in Ägypten. – Mit einem Beitrag von Urs Winter zu Ps 56, 1 und zur Ikonographie der Göttin mit der Taube. 164 Seiten, 44 Abbildungen. 1977.

Bd. 15 MARIE-LOUISE GUBLER: *Die frühesten Deutungen des Todes Jesu.* Eine motivgeschichtliche Darstellung aufgrund der neueren exegetischen Forschung. XVI–424 Seiten. 1977. Vergriffen.

Bd. 16 JEAN ZUMSTEIN: *La condition du croyant dans l'Evangile selon Matthieu.* 467 pages. 1977. Epuisé.

Bd. 17 FRANZ SCHNIDER: *Die verlorenen Söhne.* Strukturanalytische und historisch-kritische Untersuchungen zu Lk 15. 105 Seiten. 1977.

Bd. 18 HEINRICH VALENTIN: *Aaron.* Eine Studie zur vor-priesterschriftlichen Aaron-Überlieferung. VIII–441 Seiten. 1978.

Bd. 19 MASSÉO CALOZ: *Etude sur la LXX origénienne du Psautier.* Les relations entre les leçons des Psaumes du Manuscrit Coislin 44, les Fragments des Hexaples et le texte du Psautier Gallican. 480 pages. 1978.

Bd. 20 RAPHAEL GIVEON: *The Impact of Egypt on Canaan.* Iconographical and Related Studies. 156 Seiten, 73 Abbildungen. 1978.

Bd. 21 DOMINIQUE BARTHÉLEMY: *Etudes d'histoire du texte de l'Ancien Testament.* XXV–419 pages. 1978.

Bd. 22/1 CESLAS SPICQ: *Notes de Lexicographie néo-testamentaire.* Tome I: p. 1–524. 1978. Epuisé.

Bd. 22/2 CESLAS SPICQ: *Notes de Lexicographie néo-testamentaire.* Tome II: p. 525–980. 1978. Epuisé.

Bd. 22/3 CESLAS SPICQ: *Notes de Lexicographie néo-testamentaire.* Supplément. 698 pages. 1982.

Bd. 23 BRIAN M. NOLAN: *The royal Son of God.* The Christology of Matthew 1–2 in the Setting of the Gospel. 282 Seiten. 1979.

Bd. 24 KLAUS KIESOW: *Exodustexte im Jesajabuch.* Literarkritische und motivgeschichtliche Analysen. 221 Seiten. 1979.

Bd. 25/1 MICHAEL LATTKE: *Die Oden Salomos in ihrer Bedeutung für Neues Testament und Gnosis.* Band I. Ausführliche Handschriftenbeschreibung. Edition mit deutscher Parallel-Übersetzung. Hermeneutischer Anhang zur gnostischen Interpretation der Oden Salamos in der Pistis Sophia. XI–237 Seiten. 1979.

Bd. 25/1a MICHAEL LATTKE: *Die Oden Salomos in ihrer Bedeutung für Neues Testament und Gnosis.* Band Ia. Der syrische Text der Edition in Estrangela Faksimile des griechischen Papyrus Bodmer XI. 68 Seiten. 1980.

Bd. 25/2 MICHAEL LATTKE: *Die Oden Salomos in ihrer Bedeutung für Neues Testament und Gnosis.* Band II. Vollständige Wortkonkordanz zur handschriftlichen, griechischen, koptischen, lateinischen und syrischen Überlieferung der Oden Salomos. Mit einem Faksimile des Kodex N. XVI–201 Seiten. 1979.

Bd. 26 MAX KÜCHLER: *Frühjüdische Weisheitstraditionen.* Zum Fortgang weisheitlichen Denkens im Bereich des frühjüdischen Jahweglaubens. 703 Seiten. 1979.

Bd. 27 JOSEF M. OESCH: *Petucha und Setuma.* Untersuchungen zu einer überlieferten Gliederung im hebräischen Text des Alten Testaments. XX–392–37* Seiten. 1979.

Bd. 28 ERIK HORNUNG / OTHMAR KEEL (Herausgeber): *Studien zu altägyptischen Lebenslehren.* 394 Seiten. 1979.

Bd. 29 HERMANN ALEXANDER SCHLÖGL: *Der Gott Tatenen.* Nach Texten und Bildern des Neuen Reiches. 216 Seiten, 14 Abbildungen. 1980.

Bd. 30 JOHANN JAKOB STAMM: *Beiträge zur Hebräischen und Altorientalischen Namenkunde.* XVI–264 Seiten. 1980.

Bd. 31 HELMUT UTZSCHNEIDER: *Hosea – Prophet vor dem Ende.* Zum Verhältnis von Geschichte und Institution in der alttestamentlichen Prophetie. 260 Seiten. 1980.

Bd. 32 PETER WEIMAR: *Die Berufung des Mose.* Literaturwissenschaftliche Analyse von Exodus 2,23–5,5. 402 Seiten. 1980.

Bd. 33 OTHMAR KEEL: *Das Böcklein in der Milch seiner Mutter und Verwandtes.* Im Lichte eines altorientalischen Bildmotivs. 163 Seiten, 141 Abbildungen. 1980.

Bd. 34 PIERRE AUFFRET: *Hymnes d'Egypte et d'Israël.* Etudes de structures littéraires. 316 pages, 1 illustration. 1981.

Bd. 35 ARIE VAN DER KOOIJ: *Die alten Textzeugen des Jesajabuches.* Ein Beitrag zur Textgeschichte des Alten Testaments. 388 Seiten. 1981.

Bd. 36 CARMEL McCARTHY: *The Tiqqune Sopherim and Other Theological Corrections in the Masoretic Text of the Old Testament.* 280 Seiten. 1981.

Bd. 37 BARBARA L. BEGELSBACHER-FISCHER: *Untersuchungen zur Götterwelt des Alten Reiches im Spiegel der Privatgräber der IV. und V. Dynastie.* 336 Seiten. 1981.

Bd. 38 MÉLANGES DOMINIQUE BARTHÉLEMY. Etudes bibliques offertes à l'occasion de son 60e anniversaire. Edités par Pierre Casetti, Othmar Keel et Adrian Schenker. 724 pages. 31 illustrations. 1981.

Bd. 39 ANDRÉ LEMAIRE: *Les écoles et la formation de la Bible dans l'ancien Israël.* 142 pages. 14 illustrations. 1981.

Bd. 40 JOSEPH HENNINGER: *Arabica Sacra.* Aufsätze zur Religionsgeschichte Arabiens und seiner Randgebiete. Contributions à l'histoire religieuse de l'Arabie et de ses régions limitrophes. 347 Seiten. 1981.

Bd. 41 DANIEL VON ALLMEN: *La famille de Dieu.* La symbolique familiale dans le paulinisme. LXVII–330 pages, 27 planches. 1981.

Bd. 42 ADRIAN SCHENKER: *Der Mächtige im Schmelzofen des Mitleids.* Eine Interpretation von 2 Sam 24. 92 Seiten. 1982.

Bd. 43 PAUL DESELAERS: *Das Buch Tobit.* Studien zu seiner Entstehung, Komposition und Theologie. 532 Seiten + Übersetzung 16 Seiten. 1982.

Bd. 44 PIERRE CASETTI: *Gibt es ein Leben vor dem Tod?* Eine Auslegung von Psalm 49. 315 Seiten. 1982.

Bd. 45 FRANK-LOTHAR HOSSFELD: *Der Dekalog.* Seine späten Fassungen, die originale Komposition und seine Vorstufen. 308 Seiten. 1982.

Bd. 46 ERIK HORNUNG: *Der ägyptische Mythos von der Himmelskuh.* Eine Ätiologie des Unvollkommenen. Unter Mitarbeit von Andreas Brodbeck, Hermann Schlögl und Elisabeth Staehelin und mit einem Beitrag von Gerhard Fecht. XII–129 Seiten, 10 Abbildungen. 1982.

Bd. 47 PIERRE CHERIX: *Le Concept de Notre Grande Puissance (CG VI, 4).* Texte, remarques philologiques, traduction et notes. XIV–95 pages. 1982.

Bd. 48 JAN ASSMANN / WALTER BURKERT / FRITZ STOLZ: *Funktionen und Leistungen des Mythos.* Drei altorientalische Beispiele. 118 Seiten. 17 Abbildungen. 1982.

Bd. 49 PIERRE AUFFRET: *La sagesse a bâti sa maison.* Etudes de structures littéraires dans l'Ancien Testament et spécialement dans les psaumes. 580 pages. 1982.

Bd. 50/1 DOMINIQUE BARTHÉLEMY: *Critique textuelle de l'Ancien Testament.* 1. Josué, Juges, Ruth, Samuel, Rois, Chroniques, Esdras, Néhémie, Esther. Rapport final du Comité pour l'analyse textuelle de l'Ancien Testament hébreu institué par l'Alliance Biblique Universelle, établi en coopération avec Alexander R. Hulst †, Norbert Lohfink, William D. McHardy, H. Peter Rüger, coéditeur, James A. Sanders, coéditeur. 812 Seiten. 1982.

Bd. 51 JAN ASSMANN: *Re und Amun.* Die Krise des polytheistischen Weltbilds im Ägypten der 18.–20. Dynastie. XII–309 Seiten. 1983.

Bd. 52 MIRIAM LICHTHEIM: *Late Egyptian Wisdom Literature in the International Context.* A Study of Demotic Instructions. X–240 Seiten. 1983.

Bd. 53 URS WINTER: *Frau und Göttin.* Exegetische und ikonographische Studien zum weiblichen Gottesbild im Alten Israel und in dessen Umwelt. XVIII–928 Seiten, 520 Abbildungen. 1983.

Bd. 54 PAUL MAIBERGER: *Topographische und historische Untersuchungen zum Sinaiproblem.* Worauf beruht die Identifizierung des Ǧabal Mūsā mit dem Sinai? 189 Seiten, 13 Tafeln. 1983.

Bd. 55 PETER FREI/KLAUS KOCH: *Reichsidee und Reichsorganisation im Perser Reich.* 119 Seiten, 17 Abbildungen. 1983.

Bd. 56 HANS-PETER MÜLLER: *Vergleich und Metapher im Hohenlied.* 59 Seiten. 1984.

Bd. 57 STEPHEN PISANO: *Additions or Omissions in the Books of Samuel.* The Significant Pluses and Minuses in the Massoretic, LXX and Qumran Texts. XIV–295 Seiten. 1984

Bd. 58 ODO CAMPONOVO: *Königtum, Königsherrschaft und Reich Gottes in den Frühjüdischen Schriften.* XVI–492 Seiten. 1984.

Bd. 59 JAMES KARL HOFFMEIER: *Sacred in the Vocabulary of ancient Egypt.* The Term *D̲SR,* with special Reference to Dynasties I–XX. XXIV–281 Seiten, 24 Figuren. 1985

Bd. 60 CHRISTIAN HERRMANN: *Formen für ägyptische Fayencen.* Katalog der Sammlung des Biblischen Instituts der Universität Freiburg Schweiz und einer Privatsammlung. XXVIII-199 Seiten. 1985

Bd. 61 HELMUT ENGEL: *Die Susanna-Erzählung.* Einleitung, Übersetzung und Kommentar zum Septuaginta-Text und zur Theodition-Bearbeitung. 205 Seiten + Anhang 11 Seiten. 1985

Bd. 62 ERNST KUTSCH: *Die chronologischen Daten des Ezechielbuches.* 82 Seiten. 1985

Bd. 63 MANFRED HUTTER: *Altorientalische Vorstellungen von der Unterwelt.* Literar- und religionsgeschichtliche Überlegungen zu «Nergal und Ereškigal». VIII–187 Seiten. 1985

Bd. 64 HELGA WEIPPERT/KLAUS SEYBOLD/MANFRED WEIPPERT: *Beiträge zur prophetischen Bildsprache in Israel und Assyrien.* IX–93 Seiten. 1985